第1章

国家意識の重要性

第1節　戦後、日本人が喪失した国家意識

ＧＨＱの占領政策（洗脳政策）の大きな目的は、①日本人の国家意識（国家への忠誠心）を喪失させること、②日本精神を骨抜きにすることであった。後者については、伝統文化の継承も発展も、まだなおかなり良くなされていることに加え、日本人の礼儀作法はまだかなりしっかりしているといえよう。日本人の礼儀正しさは、いまなお世界から非常に高い評価を受けていることはよく知られている。したがって、日本精神は、部分的に失われた面もあるかもしれないが、全体としてはかなりよく残っているといえるのではないだろうか。

ところで、礼儀作法というものは、野蛮と文明を分かつものとされる。換言すれば、礼儀作法を知っている者が文明人であり、知らない者が野蛮人である。礼儀作法とは、人々がその社会生活を円滑に営み、社会秩序を保つために用いる規範と実践の総体である。礼儀作法は、例えば英語では通常、マナー（manners）とかエティケット（etiquette,元々はフランス語）とかいわれるが、より正式な用語としてはシヴィリティ（civility）である。これは無論、文明を意味するシ

ヴィライゼイション（civilization）と同じ語源である。このように、英語でも礼儀作法は文明と関係の深い概念とされているのである。

問題は、戦後、前者の国家意識を喪失してしまったことである。理論経済学者で、戦前戦後を通じて幅広い評論活動を行った論客の大熊信行（のぶゆき）（１８９３〜１９７７年）★(1)は、60年以上前の１９６１年に、日本が完全な独立国家ではなく、いわば「半国家」に過ぎないことを指摘した（大熊信行［1961］）。その後、日本は経済大国になり、Ｇ７のメンバーとしての地位を確立し、世界有数の主要国になったが、今日に至るまでなお「半独立国家」という状況は、いささかも変わっていない。

大熊はまた、日本人は戦後、新憲法によって国家に対する忠誠心を放棄した（させられた）ことを極めて重要視する（大熊［2009（1970）］.p.65）。すなわち、それは国家意識の喪失ということであり、それが戦後、日本国民の精神の空白につながっていると、彼は理解する（前掲書.p.76）。

慶應義塾大学文学部教授を務めた池田潔（きよし）（１９０３〜１９９０年）は、戦前にイギリスのパブリック・スクールからケンブリッジ大学へ進学するという同国の典型的なエリート教育を受けた人であるが、ロング・セラーである『自由と規律』（岩波新書、１９４９年）という有名なエッセイがある。池田潔は、イギリスでもアメリカでも国旗や国歌など国家の尊厳を象徴するものに対しては、彼らは強烈な忠誠心を持っており敬礼すると、述べている。その上で、英米人の考え方では、「国家の象徴を尊敬しえない者が、その実体たる国家への忠誠心を持ち得る筈はなく、国家への忠誠心を持ちえない人間は人格破産者と考えて差し支えない」（池田［1949］pp.143-144）と述べている。すなわち国家への忠誠心のない者は、欧米では、人格破産者とみなされるということである。

このように考えると、ＧＨＱが我々にやろうとしたことは、日本人を人格破産者にしようという行為であり、まさに「神をも畏れぬ所業」ではないだろうか。そして、あろうことか、それは日本でかなりの程度成功してしまった。

日本の学校には、今でも国旗に敬意を表さない教師が何人もいるようである。あの人たちは、自分たちは何か進歩的なことをしていると思っているのであろうが、外国人、特にまともな愛国心を持った人たちからは、単なる「人格破産者」すなわち二流・三流の国民であると見られているに違いない。

やや余談になるが、アメリカでは大リーグの野球などの重要なスポーツ・イヴェントや劇場の公演などでは、必ず最初に国歌が演奏もしくは斉唱される。私も初めてニューヨークのメトロポリタン・オペラハウス（ＭＥＴ）にオペラを観に行ったときには少々驚いた。１９８０年代半ばのことである。みな、観客席で開演前独特のややざわついた雰囲気の中にいるわけであるが、そこに指揮者が入ってくるなり、いきなり国歌を演奏し始める。すると、それまでリラックスして思い思いにおしゃべりをしていた観客が、即座に話を止めて非常に素早く起立して国歌（したがって国家）に敬意を表するのである。アメリカ人はこんなに規律が高いのかと不思議に思ったものである。

まさに、戦後、国家意識が喪失されたことから、成田空港に滑走路を１本追加するのに何十年も必要とし、感染症対策としての強制力を持った非常事態宣言もできない、産業スパイを防止する有効な手段を取れない、外国人の土地所有に対する制限も思うようにいかない、等々の弊害が随所に見られる。これらはいずれも、日本国民の国家意識の問題と深くかかわる国家的な課題である。換言すれば、日本人の健全な国家意識を回復させ、歴とした主権独立国家にならなければ、こうした諸問題の根本的解決は不可能である。

国であれ、企業であれ、家族であれ、構成員の忠誠心が団体の活力と輝きの核である。忠誠心、愛国心、国家意識は互いに密接に結びついている。国家意識の喪失は、国民の国に対する忠誠心が失われたことを意味する。

具体的には、ＧＨＱのどの政策からきているかといえば、１９４５年9月27日付の「新聞および言論の自由への追加措置に関する覚書」（SCAPIN-66）が最初であり、同年９月29日に通達された。これは日本政府によるメディアへの介入を一切禁止する一方、ＧＨＱの命令には完全に従えという指令であり、日本のメディアに対して、自国に対する忠誠義務を完全に奪い去り、外国勢力に従わせようという指令である。このことが今日まで大きく尾を引いており、反日的なメディアが横行する結果を招いていることはいうまでもない。

戦後の日本では、国を馬鹿にするかのような言動があたかもインテリであるかのような極めて薄っぺらで愚かしい風潮もあった。すなわち、「左翼に非ざればインテリに非ず」といった誤った考えが支配的ですらあった。しかし、こうした人々はお気の毒にも、頭の中がGHQの意図した通りに完全に洗脳された人たちである。むしろ、恥を知るべき人たちである。

続いてGHQは、民間教育情報局（CIE）の企画課★(2)が書いた歴史プロパガンダ本である『太平洋戦争史』の内容を、1945年12月8日から10日間にわたって5大新聞に、全文を連載させた。これは、日本が如何に侵略的であり、日本軍と政治指導者の戦争遂行が如何に無謀かつ残虐であり、戦時中、日本国民は騙されていたのだということを示そうとするためのものであった。

1946年5月に始まり1948年11月に結審した東京裁判も、同じ趣旨を世界に示すためのウォアー・ギルト・インフォメーション・プログラム（WGIP）の一環であった。これらのGHQによるキャンペインというか、執拗かつ極めて大掛かりなプロパガンダの結果、多くの日本国民の国家に対する忠誠心は失われてしまった。

例えば、世論調査で「自国のために戦う」と答えた人の割合が、日本は世界最低となっている。オランダ南部のティルブルフ大学に拠点を置く「世界価値観サーヴェイ」（World Values

Survey）が、２０２１年1月に発表した世界の79カ国を対象とした国際世論調査があり、「国のために戦いますか？」という質問に対し、「はい」、「いいえ」、「分からない」の３択から回答を選ばせる形になっている。それによると、「国のために戦いますか？」という質問に対し、「はい」と答えた比率は、日本はわずか13・2％であり、79カ国中最低であった（次ページ図表1-1参照）。それも、第2位のリトアニアは32・8％であり、日本の比率は断トツに低い。他方、「いいえ」と回答した比率については、日本より高い国も少数あったものの、G７諸国（ただしカナダはこの調査の対象外）、ロシア、中国、韓国、台湾、オーストラリア、トルコの主要国の中では、日本の48・６％は最も高かった。

また、少し古い調査になるが、スイスのチューリッヒに本部を置く「ＷＩＮ-ギャラップ・インターナショナル」が２０１５年3月に発表した64カ国を対象とした国際世論調査によると、「自国のために戦う意思」があるかどうかの問いに対し、「はい」と答えた日本の比率は10％に過ぎず、やはり最低であった。

このように日本人の自国防衛の意識が極端に低いのは、戦後の平和憲法と平和教育の影響によるものであろうが、より根本的にはＧＨＱの洗脳によって日本人の国家意識が失われてしまったことにあるとみてよいであろう。また、そもそも憲法も平和教育も、元々はＧＨＱの指導によって始められたものであることは言うまでもない。

国	順位				
韓国	40	67.4	32.6		0.0
ナイジェリア	41	67.7	29.7	2.0	0.6
タイ	42	67.7	31.1		1.2
ペルー	43	68.0	27.1	4.4	0.6
アゼルバイジャン	44	68.0	21.5	9.7	0.8
ロシア	45	68.2	22.0	9.1	0.7
メキシコ	46	68.6	28.9	2.3	0.2
プエルトリコ	47	69.0	29.5		1.4
ジンバブエ	48	69.9	29.4	0.7	0.1
ポーランド	49	72.6	20.0	7.3	0.1
イラン	50	72.8	25.9	0.7	0.6
スロベニア	51	73.1	17.2	8.1	1.5
デンマーク	52	74.6	23.3	2.0	0.1
フィンランド	53	74.8	18.3	6.1	0.7
ギリシャ	54	75.0	17.6	6.2	1.2
アルバニア	55	75.1	18.2	5.2	1.5
コロンビア	56	75.3	24.7		0.0
フィリピン	57	76.0	24.0		0.0
トルコ	58	76.4	19.2	3.6	0.8
イラク	59	76.6	18.9	2.3	2.2
台湾	60	76.9	23.1		0.0
マレーシア	61	79.0	21.0		0.0
エクアドル	62	79.4	17.9	2.5	0.3
アルメニア	63	80.1	11.8	7.2	0.9
タジキスタン	64	80.5	19.5		0.0
スウェーデン	65	80.6	15.6	3.0	0.8
ボリビア	66	81.4	15.6	2.8	0.2
エジプト	67	83.9	9.8	6.2	0.2
ミャンマー	68	84.1	15.9		0.0
エチオピア	69	84.5	10.7	4.6	0.2
ジョージア	70	85.3	13.0	1.3	0.4
チュニジア	71	85.5	13.3	0.9	0.2
パキスタン	72	85.9	11.5	2.3	0.3
インドネシア	73	86.4	12.8	0.8	0.0
ノルウェー	74	87.6	10.4	1.9	0.1
中国	75	88.6	10.2		1.3
バングラデシュ	76	89.8	4.3	5.5	0.3
キルギス	77	92.7	6.1	0.9	0.3
ヨルダン	78	93.8	4.4	1.7	0.0
ベトナム	79	96.4	3.6		0.0

（注）各国の全国 18 歳以上男女 1,000 ～ 2,000 サンプル程度の意識調査結果
出所：World Values Survey ＨＰ（2021.1.29）

図表1-1　世界価値観調査(WVS)「もし戦争が起こったら国のために戦うか」(2017～20年)

国・地域	順位	はい	いいえ	わからない	無回答
日本	1	13.1	48.6	38.1	0.2
リトアニア	2	32.8	42.8	20.0	4.3
スペイン	3	33.5	55.3	9.8	1.4
マケドニア	4	36.2	44.2	12.9	6.7
イタリア	5	37.4	45.0	13.9	3.8
スロバキア	6	38.1	51.8	7.6	2.5
チリ	7	38.9	47.8	12.4	1.0
ポルトガル	8	40.3	49.0	9.8	0.9
オーストリア	9	40.7	43.9	11.5	3.8
ニュージーランド	10	40.9	33.0	26.1	0.0
マカオ	11	41.0	59.0		0.0
ブラジル	12	43.9	45.9	9.0	1.2
アンドラ	13	44.7	55.0		0.3
ドイツ	14	44.8	40.6	12.2	2.4
ボスニア・ヘルツェゴビナ	15	46.1	43.5	7.0	3.3
オランダ	16	46.7	40.8	11.8	0.6
セルビア	17	47.6	38.4	10.1	3.9
チェコ	18	48.5	31.6	16.1	3.8
アルゼンチン	19	49.2	29.8	19.1	1.9
ルーマニア	20	49.6	34.2	15.0	1.2
香港	21	50.0	48.0	1.5	0.5
アイスランド	22	53.7	44.0	4.2	2.1
ハンガリー	23	54.3	35.0	7.9	2.5
ブルガリア	24	54.9	24.1	15.1	5.8
ニカラグア	25	55.5	22.0	17.3	5.3
オーストラリア	26	56.9	40.8		2.3
ウクライナ	27	56.9	25.5	16.6	1.0
モンテネグロ	28	57.6	33.9	6.5	2.1
キプロス	29	58.8	30.3	9.0	1.9
米国	30	59.6	38.6		1.7
スイス	31	59.9	34.4	3.4	2.3
エストニア	32	61.3	24.7	7.4	6.6
クロアチア	33	61.7	26.9	8.8	2.5
グアテマラ	34	61.9	36.4		1.7
英国	35	64.5	31.9	3.3	0.2
レバノン	36	64.7	32.3	3.0	0.0
ベラルーシ	37	65.1	14.7	16.5	3.7
フランス	38	65.6	28.1	5.6	0.7
カザフスタン	39	66.2	16.7	13.5	3.6

心理学では、薬物の使用や身体的拘束をして物理的な力で価値観を変える行為を「洗脳」と呼び、本稿で取り上げるようなＧＨＱによる社会心理的な手法で人を誘導する行為については、マインド・コントロール（mind control）というようである（木佐芳男［2018］, p. 76）。しかし、私は、ＧＨＱによる日本人に対する思想行為は極めて陰湿かつ悪質であり、またその徹底ぶりからいって、洗脳（brainwashing）という毒々しい言葉を使った方がより相応しいと考える。いわば、神をも畏れぬ悍ましい行為である。

したがって本稿では、以下、「ＧＨＱの洗脳」という表現を使用することにしたい。実際に筆者は、２０１９年9月28日、ニューヨークで開催された国際学会で、「ＧＨＱが日本に仕掛けた巨大な洗脳の檻 1945–1952年」と題する報告を行った（Yamashita［2019］）。すなわち、そこでも報告タイトルを含めて、洗脳（brainwashing）という言葉を何回も使ったのである。

古今東西、世界のどの独立国でも、国家存亡の危機に当たっては国のために戦う国民が相当数いることが不可欠である。しかし、戦うこと自体を絶対悪としてしまった戦後日本では、いざというときでさえ国のために戦うこと自体も悪とみなす雰囲気ができ上がってしまっている。

そうした意味で、筆者がたまたま見たＮＨＫ総合テレビの番組『英雄たちの選択』の「立憲政治を守れ！ 犬養毅〝憲政の神様〟の闘い」（２０２１年5月12日 初回放映）は、非常に印象的であった。暗殺当時76歳になっていた犬養は、総理大臣（在任期間：１９３１年12月13日～１９３２

年5月16日）として、軍部の独走に歯止めを掛けようと尽力したが、１９３２年（昭和7年）、海軍の青年将校らが起こした五・一五事件によって暗殺された。そのＮＨＫの番組は、全体としては、犬養を基本的に高く評価する内容であったが、番組の最後の方で、レギュラー出演者の国際日本文化研究センターの磯田道史教授が、犬養が「いざという時には、国民は兵役に従事しなければならない」とも主張していたと指摘し批判した。それに対し、司会者の女性アナウンサーは納得した様子で頷き、歴史学者など他の出演者たちも発言はしなかったものの、明らかに同意したような表情であった。しかし、こうした発言は、歴とした独立国の国民のそれではなく、非独立国の構成員ならではの発言ではないだろうか。筆者に言わせれば、こうした番組内容こそ、まさにわが国が真の独立国ではないことの証左である。洋の東西を問わず、また時の古今を問わず、独立国家の指導者であれば、国家の防衛上、いざという時には国民が兵役に従事してもらわなければならないと考えるのは至極当然のことである。

ＧＨＱの洗脳によって、国家意識を奪われた上に完全に去勢され、しかも近隣諸国の「善意」を前提とした欺瞞に満ち溢れた憲法を押し付けられた日本人は、国際社会があたかも性善説で出来上がっているかのような錯覚に陥っているのであろうか。極めて非現実的な世界認識と言わねばならない。

明治天皇が、１９０４年（明治37年）、日露戦争に際して詠まれた御製「しきしまの　大和心

のをしさは　ことある時ぞ　あらはれにける」を思い起こさせる。すなわち、「大和心の勇ましさは、日本国家に一大事が来たときに発揮される」という意味である。

実は、安倍晋三元総理は、2019年（平成31年）1月28日、第198国会の参議院本会議における内閣総理大臣施政方針演説でこの明治天皇の御製を引用している。日本人は明治、大正、昭和、平成、幾度となく大きな困難に直面したが、しかしそのたびに大きな底力を発揮し、人々が助け合い、力を合わせることで乗り越えてきた。特に2011年の3・11東日本大震災の際、日本人の底力と絆（きずな）が大きなパワーになったとして、この御製を引用し、その上で、「急速に進む少子高齢化、激動する国際情勢、今を生きる私たちもまた、立ち向かわなければならない。私たちの子や孫の世代に輝かしい日本を引き渡すため、共に力を合わせなければなりません。平成、その先の時代に向かって、日本の明日を、皆さん、共に切り開いていこうではありませんか」と訴えかけた。

脚注

★（1）大熊は戦時中、戦争協力者で大日本言論報国会（1942年12月設立）の理事だったことなどから、1947年、GHQから公職追放処分を受けた。本人は、倫理上の社会主義者を自認するとともに、理念としての世界連邦政府運動を支持するとしており（大熊信行［2009（1970）．pp. 377-380］、その点については、筆者は、全く賛同しかねるが、GHQ占領統治の本質、国家論、愛国心、祖国に対する忠誠心などに対する彼の論考は大変示唆に富んでおり、大いに傾聴に値する。戦後、左翼が金科玉条としてきた「戦後民主主義」について、「征服者の掌の中の、日本の〈民主化〉のことであり、それは軍事力に鎧（よろ）われた権力が操るところの〈民主主義〉に過ぎない」（大熊［2009（1970）］，pp. 53）と述べ、政治制度としての「戦後民主主義」は虚妄だと断じている。大熊は１９１６年、東京商業（現・一橋大学）卒業し、経済学博士（１９４１年・一橋大学）。富山大学、神奈川大学、創価大学の教授を歴任。

★（２）ＣＩＥの企画課長であったブラッドフォード・スミスは、戦時中は、ＯＷＩ（戦時情報局）のホノルルの責任者であり、日本を対象とする対敵プロパガンダに従事していた。戦後は、場所を東京に変え、同じく日本を対象とする対敵プロパガンダに従事したことになる。ＧＨＱには、歴史の専門家を含む多数のスタッフを抱える戦史室もあったが、ＧＨＱは『太平洋戦争史』を、歴史家ではなく、わざわざ、プロパガンダ屋（propagandist）に書かせたわけである。ＯＷＩ（Office of War Information）は、開戦後の１９４２年6月13日、フランクリン・ルーズヴェルト大統領が設立した戦時プロパガンダ機関である。なお、米国の戦時プロパガンダ機関は2つあり、ＯＷＩは、情報源を明らかにするホワイト・プロパガンダ（white propaganda）を担当する。他方、ＯＳＳ（Office of Strategic Services, 戦略諜報局）は、情報源を明らかにせず、また場合によっては偽の情報をも流すブラック・プロパガンダ（black propaganda）を担当する。

第2節　終戦以来なぜかくも長きにわたり「非独立国」のままなのか

ところで、終戦から78年もの長い年月が経過したにも関わらず、いまだに多くの日本人がＧＨＱの洗脳にかかったままだというのは、一体どういうことなのだろうか?

連合国軍最高司令官（Supreme Commander of the Allied Powers, ＳＣＡＰ）となるダグラス・マッカーサー（Douglas MacArthur, １８８０～１９６４年）米国陸軍元帥が、１９４５年８月30日、厚木飛行場に到着し、９月２日の朝、戦艦ミズーリでの降伏文書の調印が取り交わされた。法的にも国際的にも、これをもって第二次世界大戦の終戦とされる。そして、米国務省は、終戦直後の１９４５年９月22日、「降伏後における米国の初期対日方針」（SWNCC/150/4/A）を発表した。

マッカーサー

しかし、これは、日米開戦直後からアメリカが周到に準備してきたことの結果であった。「降伏後における米国の初期対日方針」（１９４５年9月22日）に至るまでの事情を少し説明しておきたい。米国は、早くも１９４２年2月、コーデル・ハル国務長官を長とする「戦後の外交政策に関する諮問委員会」（Advisory Committee on Post-War Foreign Policy）を設置した。さらに、１９４２年8月、この委員会傘下の「特別調査領土小委員会」に極東班（Far Eastern Group）が編成され、アジア問題に関する大家で米クラーク大学（マサチューセッツ州の私立大学）のジョージ・ブレイクスリー（George Blakeslee, １８７１〜１９５４年）教授★(3)が主任に就任した。また、日本史の専門家のヒュー・ボートン（Hugh Borton, １９０３〜１９９５年）★(4)もこの極東班に参加した。

ブレイクスリーは、早くも１９４３年7月28日に、「日本の戦後処理に関する一般原則」と題するディスカッション・ペーパーをまとめている。その骨子は、①領土については満洲を含めて日本が軍事侵攻したすべての地域からの全面的撤退、②軍事については、日本が再び国際平和の脅威とならないようすべき、③経済的には、必要に応じて厳しく制限する必要はあるが日本国民が繁栄する機会を否定してはならない、というものであった。他方、国務省とは別に、戦時ブラック・プロパガンダを担当するＯＳＳ（米国戦略課報局）も、その前身であるＣＯＩ（米国情報調整局）の時代を含めて、１９４２年6月から対日計画★(5)を作成していた。

ＧＨＱは、終戦直後から早々に積極的に活動を開始し、次章で詳しく述べるように、１９４５年9月中には、日本における言論統制の基本的な枠組みをほぼ作り終えた。それ以来、サン・フランシスコ講和条約が発効した１９５２年4月28日まで、およそ6年8カ月、ＧＨＱは日本にとどまった。

ＧＨＱが日本を去って以来、すでに70年以上も経過したが、ＧＨＱによって徹底的に洗脳された日本人「優等生」たちが、洗脳史観を国内で拡大再生産し続けてきた。そして、それは、今日に至るまで連綿と続いているため、大多数の日本人がいまだにＧＨＱの洗脳から脱却できないでいるのである。ＧＨＱ洗脳の優等生たちとは、いわゆる「戦後民主主義の進歩的文化人」を中心とした人たちである。代表的な人物の名前を挙げるとすれば、例えば、丸山眞男（政治学）、宮沢俊義（憲法）、横田喜三郎（国際法、最高裁長官）、川島武宣（民法）、大塚久雄（経済史）、鶴見俊輔（哲学、評論家）、大江健三郎（作家）等々である。

後に述べるように、公職追放、教職追放、徹底した言論統制を伴った極めて執拗なＷＧＩＰによって、ほとんどすべての日本人が洗脳された。その結果、教育現場、マス・メディアなどを通じていまだに人々への洗脳が続いているのである。

ここでは、一つの象徴的なＧＨＱ指令を取り上げることにしたい。それは、１９４５年10月４日、日本政府に通達した「政治、信教並びに民権の自由に対する制限の撤廃」の覚書（SCAPIN-93、通称「人権指令」）である。その内容は、①天皇陛下および皇室制度に関する制限の撤廃、②治安維持法、思想犯保護観察法などの15法令の廃止、③内務大臣以下全国の警察首脳部の一斉罷免および特高警察機関の廃止、④政治犯全員の釈放、を骨子とするものであった。

国際経験が非常に豊富でなおかつ骨太の人物でもあった首相の東久邇宮稔彦王（ひがしくにのみやなるひこ）（1887〜1990年）は、こうしたGHQの性急な自由化政策というよりも、「日本弱体化政策」に対する抗議の意志を明らかにするために、翌日の10月5日、内閣総辞職を表明した。GHQの日本の国体を破壊するような非常に性急かつ高圧的な政策に対して、東久邇宮首相は骨のあるところを示したといえるであろう。終戦直後の8月17日に成立した東久邇宮内閣は、わずか2カ月足らずで終幕を迎えた。軍を統制し、ポツダム宣言を実施し、占領軍を平和裡（り）に受け入れるという東久邇内閣の第一の使命は果たしたといえる。

東久邇宮稔彦は、「やんちゃな宮様」といわれながらも、若い頃から前途を嘱望された有能かつ骨太の方である。明治天皇の娘・聰子（としこ）内親王と御成婚され、陸軍幼年学校、士官学校、陸軍大学を卒業後、1920年から7年間、フランスに滞在した。パリでは陸軍大学を卒業後、エコール・ポリテクニークでは、社会学、政治学、経済学、外交史など幅広く学んだ★(6)。

また、後の章で触れるように、著名な画家のクロード・モネを通じて、フランス首相経験者のジョルジュ・クレマンソーやフィリップ・ペタン元帥（第一次世界大戦の英雄）とも親交を持った。帝国陸軍では、日本最強師団といわれた栄光ある第二師団長などの要職を歴任した後、

1939年、陸軍大将に就任した。1945年8月15日正午、終戦の詔勅が放送された後、近衛師団など、軍の一部に不穏な動きもあり、到底臣下では事態を乗り切れないとして、皇族である東久邇宮稔彦王を次期首相とし、近衛文麿を補佐役としてはどうかということになった（岡崎久彦［2002］,p.34）。

東久邇宮内閣で注目すべきは、1945年9月5日の総理の帝国議会における施政方針演説である。「敗戦の因って来る所は固より一にして止まりませぬ。前線も銃後も、軍も官も民も総て、国民悉く静かに反省する所がなければなりませぬ」として、全国民にいわゆる「一億総懺悔」を訴えたことである。これを軍の責任逃れだとする意見もあるが、国民全体の責任であるとするのは、基本的には妥当ではないだろうか。ただし、国民全体が等しく責任があるというのではなく、より軍に責任があるとした方が、もっと良かったかもしれないが……。いずれにせよ、直ぐ後に、GHQが軍国主義者と一般国民を明確に区別し二分するやり方を採用したわけであるが、それよりは遥かに良かったのではないだろうか。いずれにせよ、この「一億総懺悔」論は、日本の戦争犯罪を当時の政府・軍のトップに負わせることを狙ったGHQによって、完全に否定されることになる。

東久邇宮稔彦

東久邇宮内閣の後を継いだのは、戦前・戦中に一貫して弱腰外交を主導した外交官の幣原喜重郎内閣であった（10月9日発足）。すなわち、ＧＨＱの思い通りになる首相の誕生となったわけである。

１９４５年10月4日のＧＨＱ「人権指令」の下に、同年10月10日、東京予防拘置所（府中刑務所）に収容されていた共産党の徳田球一、志賀義雄をはじめとする16人の政治犯（うち11名が共産党員）が釈放された。これ以後、徳田らは占領軍を「解放軍」と規定した（徳田球一、志賀義雄［2017（1947）］p.173）。また、これに先立つ何日か前には、ＧＨＱから国務省のジョン・エマーソン（マッカーサーの政治顧問のジョージ・アッチソン★(7)の補佐官）、カナダ人の歴史家・外交官のハーバート・ノーマン博士★(8)（ＧＨＱ／ＣＩＳ調査分析課長）が、府中刑務所の徳田と志賀を訪問し、2人を一時的にＧＨＱ本部に連れ出し、長時間面談した。その際、ＧＨＱの方針を伝えるとともに、「出所したらどうするつもりか?」など2人の意向を尋ねるなどかなり友好的な会話を交わしている（徳田球一、志賀義雄［2017（1947）］p.168）。また、それとは、別に、ＧＨＱ／ＣＩＳ（民間諜報局）のＴ・Ｐ・デイヴィス中佐も、府中刑務所に徳田と志賀の2人を訪ねている。このようにＧＨＱは初めから、共産主義者を日本人洗脳のために利用しようと決めていたようである。

というのは、１９４４年7月から始まった延安米軍事視察団（the Dixie Mission）によって、毛沢東の八路軍が対敵工作として、日本人捕虜に対して行っていた思想洗脳が極めて有効であることを、予め(あらかじ)米軍が学んでいたためであった。その点については、第3章で詳しく述べることとするが、いずれにせよ、戦後GHQの日本人に対する洗脳において、共産主義者が果たした役割は大きい。

★(3)ブレイクスリーは、1922年のワシントン軍縮会議、1932年のリットン調査団に、それぞれ米国側の専門家として参加した。

★(4)戦後は、1946年11月から、国務省極東局日本部長、北東アジア部長を歴任した。

★(5)具体的には、1942年6月3日、COIは、「日本計画」(最終案)をまとめた。天皇制を温存し、「天皇を象徴とする民主主義」を実現させせようとする内容も盛り込まれたが、この計画は、全体としては戦後計画というよりも、むしろ対日戦を勝利に導くための計画という色彩が強い。いずれにせよ、いくつかの経緯があって、この計画は、最終的には採用されなかった。なお、OSSは、この計画の10日後の6月13日に発足した。

★(6)東久邇宮稔彦王の評伝に関しては、浅見雅男[2014(2011)]が詳しい。

★(7)米外交官のジョージ・アッチソン(George Atcheson, 1896~1947年)は1949年1月から1953年1月まで米国務長官を務めたディーン・アチソン(Dean Acheson, 1893~1971年)とは、苗字が異なる。

★(8)カナダ人宣教師の息子として、1909年、日本の軽井沢で生まれた。

第３節　独立国になるとの気概を持て!!（福澤諭吉の教訓）

われわれ日本人は、あたかも歴とした独立国であるかのように振る舞うのは、もう止めにすべきである。歴史的現実を直視しなければならない。さもないと、いつまで経っても、現在わが国が直面する国家的な諸課題を解決しえない。すなわち、それは間違いなく、国家衰退への道につながる。日本人は、事実認識（歴史認識）として、現状では「半独立国」もしくは「半主権国家」であることを認め、目覚めた上で、国としての独立の回復を目指さなければならない。

ここで再び、明治26年生まれで戦前・戦後にかけて論壇で活躍した大熊信行の晩年の言説に耳を傾けることにしよう。彼は１９７０年に、「もしも現に〈国家の独立〉が失われているものならば、必要な犠牲、賢明な智略、および政治的、道義的忍耐をもってして、これを回復するための、あらゆる努力が、継続的になされなければならない。……（中略）……日本の独立の回復、この問題を扱うにあたって、まず何よりも注意しなければならないのは、現政府・自民党には、そういう問題意識は表面上、絶無だという一事である」（大熊［2009（1970）］, p.366）と述べている。

この時の総理大臣は佐藤栄作であったが、その後も今日に至るまで、歴代政権で国の独立回復の問題意識を明らかにした政権は皆無である。

すなわち現在の日本は、大熊が半世紀以上も前に嘆いた状況と全く変わっていない。日本政府にも、与党・自民党にも、マス・メディアにも、識者にも、正面からわが国の独立を回復しようとする問題意識はほとんど見当たらない。現在の日本にとって最大の課題が日本の真の独立にあるとしたら、例えば「日本独立党」などという名称の野党があって然（しか）るべきだと思うが、そうした政党も存在しない。何たることであろうか。

福澤諭吉

福澤諭吉が、明治6年（1873年）、『学問のすゝめ』三編で、「一身独立して一国独立する」（福澤諭吉［1942（1872-1876）］,p.29）と述べたことは有名であるが、それは、国が独立するためには、国民一人一人が独立心を持たなければならないという意味である。そして福澤は、人々に独立の気力がなければならないとして、「独立の気力なき者」として、次の三箇条を挙げている。

①独立の気力なき者は国を深く思わない、②独立の気力なき者は外国に対しても独立の権利と義務を訴えることができない、③独立の気力なきものは人に依存して悪事をなす、と述べている（前掲書,pp.29-34）。明治期は、欧米列強によって、

日本が被植民地化されるかもしれないという危機感があったことから、多くの日本人の独立の意識は高かった。だからこそ、植民地にならず、艱難辛苦を乗り越えて、立派な独立国となった。

現状のわが国が真の独立国でないことは、おそらく保守系の多くの人々が認めるところであろう。しかし、ほとんどの人は何の行動も起こそうとしない。これは一体どうしたことであろうか？本来、真っ当な国民なら、自分の国が歴とした独立国ではないと悟った瞬間から、各自、自分にできることから、独立の回復に向けた何がしかの行動をとって然るべきである。国の独立の回復を目指すとしたら、おそらくアメリカとの関係をどうするのかとか、核兵器の保有をどうするのか、といった厄介な問題に答えを出さなければならなくなるので、思考停止状態に陥ってしまうということなのであろうか？

これまで他の論文で指摘してきたように、私は、わが国ほど誇らしい歴史を持った国が、ほかにあるだろうかと問わずにはいられない（山下［2019］、［2020 a］および［2020 b］）。およそ２０００年にわたる万世一系の歴史、すなわち世界で唯一無二の国としての長い歴史を持ち、また、戦国時代には、渡来したヨーロッパの宣教師たちによって、日本はすでに文明社会であるとの国際的評価が確立していた。宣教師たちが遺した夥しい文献がそのことを証明している。その頃のヨーロッパは、ルネサンス期のイタリア人から、ようやく文明社会の仲間入りを果たし、近隣の欧州諸国に、次第にそれが広まっていく過渡期であった。

また、近代社会に入ってからも、例えば、日本政府は1919年2月、パリ講和会議の国際連盟規約起草委員会において、世界で初めて人種差別撤廃を連盟規約の条文に盛り込むよう提案するなど世界で初めて人種差別の撤廃を正式に表明した。明治期以来、わが国は国際社会において、散々人種差別に悩まされてきたので、人種差別撤廃については今日に至るまで100年以上にわたって、世界的なリーダーであり続けた。その延長として、第二次世界大戦が戦われたといっても過言ではなく★(9)、戦後、アジアやアフリカなどを中心として100以上の国々が、民族の自立と国家の独立を果たした。人類史上全体を振り返っても、人権人道上、このように大きな成果を上げた国がほかにあったであろうか？　世界の非常に多数の国々が、わが国に触発されて独立を果たしたというのに、当の日本がいまだに「非独立国」というのは、余りにも皮肉というほかはない。

このように考えると、日本は当然のことながら、歴とした主権独立国家になる資格は十二分に備えている。また、経済力や国民の知力など、国としての潜在的な総合力は世界有数である。このように世界有数の実力を備えた国が、歴とした独立国にならないとしたら、それは国際社会全体にとって、むしろ大きな損失といえるのではないだろうか。

わが国は、歴とした独立国になるための基本的な条件はすべて備えているのに、国民の意識が付いて行っていないために、いまだに真の独立国とは言えない。福澤先生が、仮にこの令和の世に降臨されたとしたら、何とおっしゃるであろうか？　明治初期の日本は、非力で国力を何とか身につけるために、官民が一丸となって必死に努力したわけであるが、それに比べ今の日本は潜在的には世界的に有数の国力があるにもかかわらず、いまだに独立国になり切れないでいる。これは一体どうしたことか、余りにも不甲斐ないではないかと、福澤先生は大変お怒りになるのではないだろうか？

２００６年9月から1年間続いた第一次安倍内閣で、安倍晋三総理は「戦後レジームからの脱却」を目指すとした。これは、わが国の真の意味の独立を目指すという発想に近いものであったと思うが、２０１２年12月に、首相として再登板し、７年９カ月続いた政権では、残念ながら「戦後レジームからの脱却」を前面に出すことはしなくなってしまった。このように、残念ながら終戦から70年以上を経たいまでも、わが国にとって最大の課題に本格的に挑戦しようとする政権は、いまだかつて現れてはいない。

なぜ、日本の国民の独立心が足りないのかというと、それは大多数の日本人がまだＧＨＱの洗脳から脱出できていないからと考えざるを得ない。ここで、少々興味深い例をご紹介したい。国土交通省の技監、すなわち官僚として技術系のトップを経験された大石久和は、国交省を退官した後、京都大学の特任教授をされていた方であるが、日本の国土や風土が日本の歴史や日本人の人となりを形成する上で大きな要素になったという、理系の視点から興味深い歴史論を展開している人である。その大石が、2015年に出版した著書『国土が日本人の謎を解く』の「おわりに」の部分で、最近、霞が関の課長クラスの何人かと会う機会があったので、その際に、戦後GHQによって、戦前にもまして非常に厳格な情報統制・検閲が日本で実施されていたのだという話をしたそうであるが、誰一人としてその事実を知らなかったと、書いている（大石久和［2015］p.216）。

これは、さもありなんという気もするが、やはりかなりショッキングな話である。おそらく、今から8年ぐらい前の話だと思うので、現在その人たちは中央官庁でいわゆる「中二階」、すなわち参事官、審議官、あるいは場合によっては局長になっている方もおられるであろう。いずれにせよ現在、実務面で実質的には各省庁を背負って立つような立場の方々に違いないであろう。GHQによる非常に厳格な情報統制・検閲は、後に詳しく述べるように、日本人の頭の中を洗脳するためにとられた措置である。したがって、GHQによる非常に厳格な情報統制・検閲の事実を知らないということは、GHQによる洗脳があったことすらもほとんど知らないということを意味する。

果たして、GHQから洗脳された事実を知らないような人が、歴とした独立国としての誇りある日本の国の政策を立案・実施できるのか、大いなる疑問を抱かざるを得ない。なぜなら、戦後、日本人がＧＨＱに洗脳されたことを意識していないとしたら、その人たちの頭の中は、いまだに概ね占領軍が思い描いた通りの自虐史観に染まったままであるに相違ないからである。実際にはこのような状況であり、それがわが国の現実だということである。

中央官庁のキャリア官僚が、歴史認識において一般の日本人と変わらないとしても不思議ではないかもしれない。特に統計的な根拠は無論ないが、大雑把にいって、今の日本国民のうち頭の中がＧＨＱの洗脳から解けている人の割合は、おそらく全体の１割程度に過ぎないのではないだろうか？　これは筆者に限らず、われわれＧＨＱの洗脳から脱した歴史観を持っている人間の多くが、共通した認識を持っているようである。すなわち、残念ながら国民全体の約９割は、日本は、戦前・戦中に散々悪いことをしたに違いないという自虐史観にいまだに捉われているということである。学校教育も、ほとんどすべての大手メディアも、いまだに戦後ＧＨＱが日本人に罪の意識を持たせるためのいわゆるウォアー・ギルト・インフォメーション・プログラム（ＷＧＩＰ）を通じて日本人に植え付けた自虐史観に捉われているのである。すなわち、日本人として生まれ、学校教育を受け、普通に日本で暮らしていると、真の近現代史に触れる機会がないわけである。

現在の日本人の多くが自虐史観に捉われているのは、戦後のＧＨＱの洗脳に端を発するが、実はそもそも、「ＧＨＱの洗脳」もしくは「戦後の洗脳」という言葉が、少なくともこれまで、学校の教科書で使われたことはないはずである。筆者は、現在使われている中学、高校双方の歴史教科書の執筆者の一人であるが、われわれは残念ながら、「洗脳」という真の近現代史を伝えるために一番重要なキー・ワードを教科書で使えなかった。なぜかというと、そういう表現をすると、まず間違いなく、文部科学省の教科書検定を通過できないだろうと判断せざるを得ないからである。筆者が参加した歴史教科書は中学、高校ともに、いずれも最も保守的というか、われわれの表現でいえば歴史的事実に最も忠実な教科書であるが、それらの教科書の執筆者たちは、全員がＧＨＱの洗脳から自らを解放した人間である。しかしながら、そういった教科書でさえも、言論統制が行われたことについてはある程度記述しているものの、現状では洗脳にまで触れることはできていないのが実情なのである。

というわけで、日本で普通に教育を受け暮らしていると、ＧＨＱの洗脳から脱する機会は非常に得られにくい。しかし書店に行けば　いまやＧＨＱの洗脳から抜け出た人たちの論考は、いわゆるオピニオン誌といわれる雑誌や単行本の形となって溢れている。時折、大きな書店に行き、歴史コーナーを見渡せば、自分と随分違った歴史認識の論考が多々あることに気づくはずである。大きな違いに気づけば、知的好奇心のある人なら、どれか読んでみようという気になるはずであろう。インターネット上の検索では、目的の分野や本に一直線に進むので、かえって視野が広がりにくい面もあるので、たまには、大きな書店に足を運ぶことが肝要ではないだろうか。

要するに、自分から取りに行けば、近現代史の真実にアクセスすることはできるわけであり、そうしない国民が大多数を占めることから、わが国はいまだに真の独立国ではないのである。その意味で、誰が悪いのでもなく、国民が悪いのだといえるのかもしれない。

何より、学校や大手メディア以外の情報に触れることが大切なのであるが、近年では、若い人を中心に動画などのＳＮＳを通じて洗脳史観から脱した論考に触れる機会を持つ人が増えているようである。むしろ若い層の方が自虐史観を払拭した人が多いのかもしれず、われわれとしてはその点は心強く感じている。本書の執筆を含めて、われわれが日頃心掛けているのは、結局のところ、ＧＨＱ洗脳から脱却するための「解毒剤」をできるだけ多くの人々に提供することである。洗脳から解けた人を増やすことが、わが国の真の意味の独立につながると信じて止まない。

★（９）日米開戦直後の１９４２年1月21日、東條英機首相は、大東亜共栄圏建設の指導方針を国会で表明した（「大東亜宣言」）。その内容は、「大東亜共栄圏を建設し、全世界の被圧迫民族を、英米の帝国主義の桎梏（しっこく）から解放する」というものであった。これが、日本の正式な戦争目的である。

第2章

日本列島全体を「巨大な洗脳の檻」と化したGHQ

ＧＨＱは、１９４５年9月初めから活動を開始し、サン・フランシスコ講和条約が発効する１９５２年4月28日まで、およそ6年8カ月間、日本に留まり、戦前・戦中にも増して非常に厳しい言論統制の下に、日本人に対する徹底した洗脳工作を行った。大多数の日本人は、１９４５年8月15日に戦争が終わったと思ったが、アメリカ人は、今度は心理戦（psychological war）だとはっきりと認識し、やる気満々で日本に乗り込んできた。日米間の熱戦の期間は3年8カ月余りであったが、心理戦はその倍近く続き、かなりの長期間に及んだ。ちなみに、連合軍による西ドイツの占領は、１９４５年5月から１９４９年5月までのちょうど4年間に過ぎず、日本占領よりも遥かに短かったことに留意すべきである。

アメリカは、彼らの表現でいえば、日本軍の武装解除を実現した後、今度は心理戦で、日本国民の「精神的武装解除」を目指した。「精神的武装解除」とは、われわれの表現でいえば、それは「ＧＨＱによる日本人の思想的洗脳」に外ならない。彼らはそれを「２つのＤ」ともいい、日本のDemilitarization（武装解除）とDemocratization（民主化）を目指したとされる。

ＧＨＱが日本列島全体に仕掛けた「巨大な洗脳の檻」と私は言っているのであるが、まさに、日本人に対する極めて徹底した思想的・文化的洗脳が、終戦後7年間近く行われたということである。おそらく、世界史上でも前代未聞の一国全体・国民全体を丸ごと対象とする大洗脳プロジェ

図表2-1　連合国軍最高司令官総指令部(GHQ・SCAP)組織図

1945年10月2日現在

連合国軍最高司令官(SCAP=Supreme Commander for the Allied Powers)
ダグラス・マッカーサー元帥
(General of the Army, Douglas MacArthur)

高級副官
(Aides de Camp)
バーデット・フィッチ准将
(Brig. Gen. Burdette M. Fitch)

軍事補佐官
(Military Secretary)
ボナー・フェラーズ准将
(Brig. Gen. Bonner F. Fellers)

物資調達局(GPA=Office of the General Procurement Agent)
ホーリー・ブレン大佐
(Col. Hawry A. Brenn)

参謀長(Chief of Staff)
リチャード・サザランド中将
(Lt. Gen. Richard K. Sutherland)

副参謀長(Deputy Chief of Staff)
リチャード・マーシャル少将
(Maj. Gen. Richard J. Marshall)

作戦副参謀長
(Deputy Chief of Staff for Operations)
スティーヴン・チェンバレン少将
(Maj. Gen. Stephen J. Chamberlin)

参謀部(General Staff Section)

参謀1部(G-1)
マシュー・ガナー准将
(Brig. Gen. Matthew J. Gunner)

参謀2部(G-2)
チャールズ・ウイロビー少将
(Maj. Gen. Charles A. Willoughby)

参謀3部(G-3)
ウィリアム・チェンバーズ准将
(Brig. Gen. William E. Chambers)

参謀4部(G-4)
レスター・ウィットロック少
(Maj. Gen. Lester J. Whitlock

幕僚部(Specal Staff Section)

民間情報教育局
(CIE)
ケネス・ダイク大佐
(Col. Kenneth R. Dyke)

民生局(GS)
ウィリアム・クリスト准将
(Brig. Gen. William E. Crist)

経済科学局
(ESS)
レイモンド・クレーマー大佐
(Col. Raymond C. Kramer)

公衆衛生福祉局
(PHW)
サムス大佐
(Col. Crawford F. Sams)

天然資源局
(NRS)
シェンク中佐
(Lt. Col. Hub
G. Schenck)

民間通信局
(CCS)
エイキン少将
(Maj. Gen. Spencer B. Akin)

民間諜報局
(CIS)
エリオット・ソープ准将
(Brig. Gen. Elliott R. Thorpe)

法務局
(LS)
カーペンター大佐
(Col. Alva. C. Carpenter)

統計資料局
(SRS)
アンガー大佐
(Col. Charles H. Unger)

[出所] NHK放送文化調査研究所(編)[1987], p120を基に作成

クトであったといって差し支えないであろう。その直接的な目的は2つあり、①日本を二度とアメリカに歯向かうことのないような存在にすること、②アメリカのおぞましい戦争犯罪を糊塗(こと)すること、すなわちホワイトニング(whitening, 無罪のように見せかけること)であった。

終戦直後の日本人に罪の意識なし

終戦直後、すなわちGHQ洗脳が入る以前は、多くの日本人に、戦争に関する罪の意識は基本的になかったのである。終戦直後の日本人の戦争に対する意識は、ただただ、アメリカに酷く非人道的な方法でやられてしまった、という印象だったということだと思われる。

例えば、鳩山一郎の「新党結成の構想」という談話が朝日新聞に掲載された。これは熱戦の終了からちょうど1カ月後の1945年の9月15日のことである。そこで彼はどう言ったかというと、「極力アメリカ人をして、広島、長崎、東京の下町などの惨状を視察させ、彼らに自らの行為に対する罪の意識をもたせ、日本の復興に責任を持つように自覚させるべきだ」ということであった。これが、GHQの介入が入る前の終戦直後における多くの日本人の偽らざる心境だったと思われる。

マッカーサーはすでに1944年11月、米統合参謀本部(JCS)から、日本を占領したら検閲をするように命令を受けていたが、タイミングとしては、GHQはこの朝日新聞の記事を見て

図表2-2 民間情報教育局(CIE)組織図〈1〉

1945年10月9日現在

局長:ケネス・ダイク大佐

- 企画課(Plans and Operations Section) ブラッドフォード・スミス(Bradford Smith)
- ラジオ課(Radio Section) ロス大尉(Capt. W. V. Roth)
- 新聞・出版課(Press and Publications Section) ミッチェル少佐(Maj. M. Mitchll)
- 写真・美術課(Photo and Arts Section) アヴィソン中尉(Lt. A. D. Aviso
- 戦犯・反軍国主義課(War Guilt and Anti-Militarist Section) ベアストック大尉(Capt. A. Behrstock)
- 映画・視聴覚課(Motion Picture and Visual Media Section) ロバート大尉(Capt. H. L. Roberts) コンデ(D. W. Conde)
- 教育・宗教課(Education and Religion Section) ヘンダーソン少佐(Maj. M. H. Henderson)

民間情報教育局(CIE)組織図〈2〉

1945年11月12日現在

局長:ダイク准将

- ラジオ課(Radio Section) ベップル少佐(Maj. G. A. Boeppl)
- 企画課(Plans and Operations Section) ベアストック大尉(Capt. A. Behrstock)
- 新聞・出版課(Press and Publications Section) ミッチェル少佐(Maj. M. Mitchell)
- 調査・分析課(Analysis and Research Section) グリーン中佐(Lt. Col. J. W. Greene)
  - メディア分析班(Media Analysis)
  - 情報・統計調査班(Research Informati and Statistics)
    - 教育(Education)
    - ラジオ(Radio)
    - 出版(Publications
    - 図書(Library)
  - 世論調査班(Public Opinion Pol
- 映画・視聴覚課(Motion Picture and Visual Media Section) コンデ(D. W. Conde)
- 写真・美術課(Photo and Arts Section) ミッチェル少佐(Maj. M. Mitchell)
- 教育・宗教課(Education and Religion Section) ヘンダーソン中佐(Lt. Col. H. G. Henderson)

(出所) NHK放送文化調査研究所(編)[1987], p121を基に作成激怒し、すぐさま検閲を始める、ということになったわけである。

第1節　WGIPによって日本人はどれほど洗脳されたのか

戦後GHQは、日本人全体に日本の国としての戦争犯罪意識を植え付けさせるために、いわゆるウォアー・ギルト・インフォメイション・プログラム（WGIP）によって、日本人を徹底的に洗脳した。それも、軍部や政府の軍国主義者・全体主義者と一般国民を二分し、前者は悪であるが、後者は前者に騙されていたのであり悪くない、という手法を取った。

日本人の洗脳度テスト

それでは、日本人はいま現在、どれぐらい洗脳されているのだろうか？　私は講演などでこうした話をする際、まず冒頭、簡単なテストをさせていただくことにしている。例えば、以下に8つの歴史的事件を例示したが、これらをどの程度ご存知だろうか？　①の元寇については、誰でも知っているが、この時、日本は一体どの国から攻められたのであろうか？　②は明治時代に、

図表2-3　民間諜報局（CIS）組織図

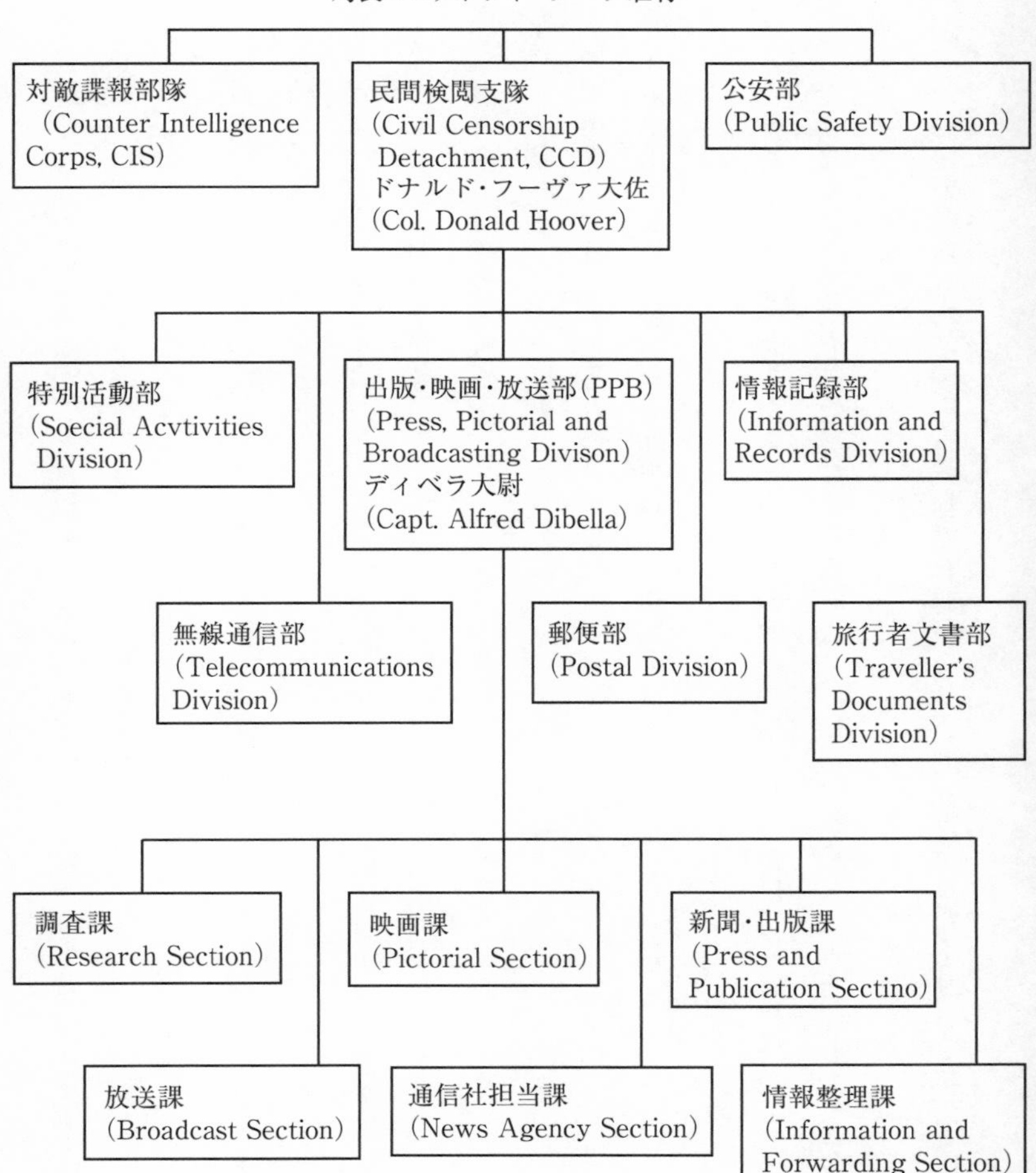

（出所）NHK放送文化調査研究所（編）［1987］，p123を基に作成

長崎で起こった事件であるが、それ以外の③から⑧までは、いずれも戦前に中国大陸で起こった事件であるが、果たして事件そのものをご存知だろうか？

①13世紀後半の2度にわたる元寇（げんこう）＝文永の役（1274年）、弘安の役（1281年）
②長崎事件（1886年8月）
③南京事件（1927年3月）
④漢口（かんこう）事件（1927年4月）
⑤済南（さいなん）事件（1928年5月）
⑥中村大尉事件（1931年6月）
⑦通州（つうしゅう）事件（1937年7月）
⑧オトポール事件と樋口季（き）一郎少将〈のちに中将〉（1938年3月）

ほとんど答えらえないとしたら、あなたの頭の中はGHQがほぼ思い描いた通り、いまだに洗脳されたままだということを意味する。なぜなら、戦後これらのことを学校で教えていないことに加え、マス・メディアでもほとんど報道されてこなかったからである。ちなみに、松井石根（いわね）大将がその責任を取らされて、東京裁判で有罪となり死刑執行された1937年の南京事件についいては皆さんある程度はご存知だと思うが、右の設問にある③の１９２７年の南京事件は、全く別の事件である。蒋介石軍が、日本を含む列強の領事館や居留民を襲撃した事件である。

ここで答えを明かすと、①は蒙古襲来ともいわれるので、もしかしてモンゴルという国から攻められたと思っている人もいるかもしれないが、正解は、このとき日本は中国の元（げん）帝国から攻められたのである。中国大陸は、歴史的には漢民族だけでなく異民族による支配の時代も少なくないが、１２７１年、モンゴル族のクビライ・ハーン（チンギス・ハーンの孫）が、中国全体を支配し、大都（今の北京）を首都に定めた帝国である。国際的にも、元帝国（the Yuan Dynasty）はこの年に誕生したと認識されている。

したがって、この鎌倉時代の末期、わが国は中国からの侵略の非常に大きな脅威に直面したということである。元寇は、朝鮮半島の高麗（こうらい）軍、さらに中国の江南軍との連合軍であったが、それは高麗も江南もそれ以前から元が支配していたからに他ならない。２度目の襲来の「弘安の役」（１２８１年）では、14万人から16万人の兵が攻めてきた。これは、その時点で、間違いなく世界史上最大規模の海戦であった。

それから３００年後に地中海で起こったヨーロッパのキリスト教国連合（ローマ教皇領、スペイン王国、ヴェネーツイア共和国など）とオスマン帝国の間で戦われた有名なレパントの海戦（１５７１年）★⑽も大海戦であったが、弘安の役はこれを大きくしのぐ規模の戦いであった。

このように13世紀後半、わが国は当時、中国から世界最大規模の軍事侵攻の脅威を受けたのであり、日本人として歴史的事実をそのようにしっかり受け止める必要がある。また、現代の中国人にもそのように認識してもらわなければならない。

文永の役が終了してから、弘安の役が始まるまで6年半余りであるが、その間、執権・北条時宗や外戚で幕府の重職（御恩奉行）として時宗を支えた安達泰盛（やすもり）らの大変な尽力により、周到に準備を整えた。具体的には、関東武士団の北九州方面への大規模な配置転換★[11]や、博多湾沿岸に防塁を築くなどしてよく準備を整えたために、元軍の上陸を許さなかった。防塁は、西の今津から東の香椎（かしい）まで全長約20キロ・メートル、高さ幅ともに平均2メートルに達する堅牢なものであった。重機のある現代でも、それだけの限定された期間内で、これほどのインフラストラクチャーを整えることはできるのだろうか、と思うほどである。

時宗は弘安の役が終了してから2年半後に、満32歳の若さで他界した。また、時代はかなり下るが、幕末の19世紀半ば、米国のペリーなど外国勢力の開国圧力の矢面に立たされた幕府老中首座の阿部正弘も、日米和親条約締結から3年余りの後に、満37歳で他界した。いずれも、大仕事をやり遂げてから間もなくしての早世であった。現代の日本人も、非常に大きな歴史的国難に直面した北条時宗や阿部正弘らの当時の心境に想いを馳せ、国防の備えの重要性を改めて認識すべきではないだろうか。

ところで、話を元に戻すと、⑧は日本陸軍の樋口将軍（ロシア語の情報将校）が、満洲との国境に近いシベリア側のオトポールに集まってきたユダヤ系の人々を通過ビザで満洲に入れることを認めた事件である。これは、関東軍が当時の東條英機参謀長の下に１９３８年1月、「現下における対ユダヤ民族施策要領」★⑿を決定していたことを踏まえたものであった。当時、ユダヤ人は、世界的にどこでも歓迎されなかったので、ユダヤ人にとっては人命にかかわる大変ありがたい措置であった。戦後、ＧＨＱの洗脳によって、日本の軍人は悪者にされたため、軍人による称賛すべき事柄は教えられなくなってしまった。同じようにメディアでも報道されなくなった。そのためにこの事件も知らない人が少なくないと思うが、近年はこのオトポール事件については、だいぶ知られてきたようである。

右記③から⑦はいずれも、中国大陸において日本人が中国人によって酷い暴虐を受けた事件である。このほかにも中国人による日本人に対するテロ事件の発生は夥しい数に上っていた。なお、②の長崎事件は時代はかなり遡る(さかの)が、明治19年、長崎に寄港していた清国の軍艦の水兵たちが街中で起こした暴虐事件である。

どうしてここに挙げたような諸々の歴史的事件について、多くの日本人が知らなくなったのかというと、それもＧＨＱの洗脳によるものなのである。次節で詳しく述べるように、ＧＨＱは、日本の戦前・戦中を遥かに上回るような非常に厳しい言論統制を敷いた。世界史上、どこでもかつてなかったほどの徹底した言論統制ではないかと思う。後に述べるように、GHQ版の焚書・坑儒も行われた。

GHQが、日本の報道機関に命令した決定版ともいうべき言論統制がある。それは、「30項目の検閲指針」（1946年11月25日付）であるが、これには、わざわざ5カ国を例示して、それらの国々に対する日本からの批判が禁止されている。その5カ国とは、アメリカ、ロシア、イギリス、中国、朝鮮である。かくして米英露の連合国だけでなく、中国と朝鮮に対する批判も禁じられたのである。右記⑦の通州事件は、北京郊外の通州に在住していた日本人（含む朝鮮人）200名以上が極めて残虐な方法で殺害されたものなので、事件発生当時は無論、日本の新聞各紙に大々的に報道された。しかし戦後は、GHQのこの統制が入って以降、語られることがほとんどなくなってしまっていたのである。この事件も近年、本が出版されるなどして、ようやくある程度知られるようになってきた。

GHQの徹底した言論統制を伴った洗脳プロパガンダによって、日本人が戦後、いかに偏った歴史観を持つに至ったかお分かりいただけたであろうか？　本章の第2節でも述べるように、あたかも「日本人が最も凶暴であり、日本人さえ悪さをしなければ、世界は平和なのだ」とでもいうようなことを前提にして作られたような現行憲法が、日本人の自虐史観を形作ってきたのである。日本人は、自らの歴史観を持つことを事実上禁止され、中国、韓国、北朝鮮、アメリカなどから見た歴史観を一方的に押し付けられてきた。本来、一から十まで自分で情報を取りに行き、その上で自分の頭で考えれば有効な反論ができたはずなのに、すでに洗脳された状態を所与とし、そこから発想することしかできなかったために、「日本は戦前・戦中に悪いことをしたに違いない」と考えてしまうのであろう。だから、歴史認識問題で、外国から謝罪を求められると、歴史的事実をしっかり確認することもなく、すぐに謝罪してしまうのである。それがまさに、ＧＨＱが目指した洗脳プロパガンダの目的通りの行動なのである。

すでに述べた通り、ＧＨＱは、「巨大な洗脳の檻」を日本列島全体に仕掛けたわけであるが、これを整理する方法はいく通りかありうると思うが、私は７つの柱があったと整理したい。第１の柱はＧＨＱが押し付けた現行憲法、第２の柱は公職追放、第３の柱はＧＨＱ版の「焚書坑儒」ともいうべき措置、第４の柱は日本の伝統的な歴史・道徳教育の全面的な禁止、第５の柱はＷＧＩＰ、第６の柱は徹底した検閲を伴った言論統制、第７の柱は東京裁判である。

他方、これら７つの柱すべてが、アメリカが日本との心理戦に勝利するためのＷＧＩＰの一環であったと理解することもできる。以下順を追って、これら７つの柱について説明していくことにしたい。

★(10) レパント(Lepanto)は、ギリシャのペロポネソス半島の西側、イオニア海に面した東西に細長いコリント湾の開口辺りに位置する地名である。

★(11) 例えば、戦国大名として名高い豊後の大友宗麟は、この頃、関東から配置転換されて九州に移り住んで北九州の防備に備えた大友氏の子孫である。

★(12) これは、ハルビン特務機関長の樋口少将や安江仙弘(のりひろ)大佐が働きかけた結果成立したものである。また、同じ年の12月6日、東京でも、第一次近衛内閣の最高首脳会議である五相会議で、「猶太(ゆだや)人対策要綱」としてまとめられた。なお、この時の五相会議のメンバーの一人である陸軍大臣は、東條英機であった。

第2節　ＧＨＱが押し付けた現行憲法

まず、第1の柱である現行憲法についてである。本書の「はじめに」の部分で述べた「独立国家の三種の神器」の最初に挙げた「自前の憲法」を持っていないことは、わが国がいまだに非独立国にとどまっている核心的な原因である。

現行憲法は、以下に述べるようないくつもの理由により、断固、破棄すべきである。

幣原内閣の国務大臣であった松本烝治（じょうじ）が、１９４６年1月4日、憲法案（甲案、乙案）を作成した。これに対して大きな不満と彼らなりの危機感を抱いたＧＨＱは、彼ら内部のスタッフが分担して、９日間で全く新たに書き上げたものが、現行憲法の草案である。経緯は、１９４６年2月2日、ＧＨＱ民政局長★(13) のコートニー・ホイットニー准将（Courtney Whitney, １８９７〜１９６９年）が、マッカーサーに、ＧＨＱ内部での憲法案の作成を具申した。翌2月3日、マッカーサーは、ホイットニーに対して、天皇の地位保全や戦争放棄を含めたいわゆる「マッカーサー・ノート」（三原則）を示すとともに、ＧＨＱ内部での憲法草案の作成を指示した。草案作成に携わったGHQスタッフは合計25名であるが、そのうち法律の専門家はホイットニーを含めて弁護士は4名いたものの、憲法の専門家は皆無であった。作成作業は、同年2月4日（月）から2月12日（火）までの9日間、週末も返上して昼夜を徹して行われた（鈴木昭典［2014（1995）］）。翌13日（水）、「マッカーサー草案」として日本政府に提出された。

GHQ占領政策の大きな目的は、日本の弱体化にあったことを忘れてはならない。実質的には機能していない「ケロッグ＝ブリアン条約」（「パリ不戦条約」、1928年署名）を参考にするなど、無責任に、非現実的な平和主義で、決して機能しない類のものを日本に押し付けた。あたかも日本が一番危険な存在であり、日本が自重しさえすれば、世界は平和になるとでもいったような考えの下に作られた憲法である。換言すれば、あたかも凶悪犯を抑え込もうとするような発想ではないだろうか。しかし、こうした認識は、歴史を遡れば、全く事実に反することが分かる。歴史上、欧米人ほど闘争的であった民族はなく、日本人は反対に、長い歴史の中で概ね平和的に生きて来たことは明らかである。

現行憲法の正当性についてであるが、これは、「ハーグ陸戦条約」（1910年発効）★(14)の第43条「占領地の法律の尊重」に違反するものと考えられる。すなわち、現行憲法はそもそも国際条約違反である。最終的には帝国議会での審議を経て承認を得たといっても、所詮、外国軍隊による占領地の議会であり、また日本に主権がない以上、部分的に細部の修正はなされたものの、大筋で占領軍の草案に反対することなどできるはずはない。35万人の米軍を中心として最盛時には計43万人の占領軍が日本に駐留していたことを忘れてはならない。このように、現行憲法は、ＧＨＱが武力を背景として押し付けたものであり、正当性を全く欠いている。

憲法というものは、当然のことながら、その国固有の国体・国柄、歴史・文化・伝統などを反映したものとすべきであるが、現行憲法はそうした要素を欠いている。通常、憲法の前文にそうした特徴が反映されるべきであるが、現行憲法にはそうした要素は全くない。日本ほど誇らしい国体・国柄、歴史・文化・伝統を持った国は、世界のどこにもないと思うが、日本の歴史・文化・伝統をよく知らず、ましてや日本に対する愛国心などない敵国人で、しかも国体・国柄の全く異なるアメリカ人が書いたからこのようなことになったのである。

熱戦は、１９４５年8月15日に終了したが、その後もアメリカは、日本に対して徹底した心理戦を続けていたのであり、憲法制定過程においてはアメリカは間違いなく日本の敵国であった。すなわち現行憲法は、現にわが国と戦争を戦っていた当時の敵国人が作成した草案に基づいたもの以外の何物でもない。今を生きる日本人は、この点をしかと理解しておかなければならない。

前文と並んで、問題が大きいのは、戦争放棄を謳（うた）った第9条である。本書の「はじめに」の部分で述べた「独立国家の三種の神器」で第2番目に挙げた国防軍を持つことを禁止されている。そして、自衛隊は、「専守防衛」に徹することがわが国の国防上の理念になってしまっている。

しかし、「専守防衛」は決して機能しない。「専守防衛」では、国民を守ることはできないからである。「専守防衛」を大前提としていることは、日本の安全保障政策上の致命的な欠陥である。また、「専守防衛」を国防上の理念に掲げている国などほかに存在しないであろう。「専守防衛」は、現行憲法の第9条と辻褄を合わせるために編み出されたものであろう。今すぐにでも「専守防衛」などという陳腐な概念をかなぐり捨て、わが国の安全保障政策を実効あるものに変えていかなければならない。

そもそも、マックス・ヴェーバー（Max Weber, 1864〜1920年）の『職業としての政治』（1919年）によれば、「国家とは、ある一定の領域の内部で、正当な物理的暴力行使の独占を（実効的に）要求する人間共同体である」（ヴェーバー［1980（1919）］,p.9）。そして、社会学者・評論家の清水幾太郎（1907〜1988年）は、ヴェーバーのこの見解に言及して、「〈物理的暴力〉の代わりに、〈物理的強制力〉という表現をする学者もいるが、……（中略）……こうしたヴェーバーの見解は、彼の独走によるものではなく、一般に学界の常識と見てよいであろう」と述べている（清水幾太郎［1980］,pp.20-21）。

すなわち、正式な国防軍を持たないとしたら、それは国家とは言えないということである。したがってこの点からも、現在の日本は真の独立国とは言えない。

「九条の会」のような護憲派の「念仏平和主義」では到底、国民を守れない。そうした人たちは

「軍事力ではなく、外交で」と言うが、外交は軍事力をバックにしたものでなければならない。特に、現在のわが国が置かれているような大きな国難に立ち向かっていかなければならないというような重要な局面では、軍事力をバックに持たない外交は有効に機能しない。彼らは、現行憲法作成の底にあるＧＨＱの悪意を正しく認識せずに、「とにかく護憲、ゴケン」と唱えるのであるが、それではこれから予想される荒波を乗り越えることはできない。憲法に戦争放棄を明記し、ひたすら平和を祈るだけでは、平和を実現できるわけではないとしっかり認識すべきである。

以上述べたように、現行憲法は、日本に対して心理戦を仕掛けていた敵国人のＧＨＱが抱いていた悪意と日本人に対する侮蔑を背景として作られたものである。しかも日本の国柄を反映したものでは全くないにもかかわらず、戦後、日本人は一度も改正したことがなく、後生大事にこれを守ってきた。驚くというか、呆れるばかりである。日本人は、お人好しも大概にしなければならない。

ちなみに、第二次世界大戦終了後の１９４５年から２０２２年までについて、他の主要国の憲法改正回数を見ると、アメリカ6回、カナダ19回、フランス27回、ドイツ67回、イタリア19回、オーストラリア5回、中国10回、韓国9回となっている★⑮。現行憲法も、ＧＨＱの対日洗脳の大きな枠組みの一つなのであるが、しかも、何と一度も改正されることなく、そのまま続いているわけであり、彼らの立場から見れば、日本国民に自虐史観を植え付けるのに大成功したといえるであろう。

ところで、現行憲法は、「日本国」と「憲法」の２つの用語から成り立っているが、その名に値しない。すでに述べたように、現行憲法は国際法違反であることに加え、日本に主権がない時期に作られたものであることから著しく正当性を欠いている。したがって、そもそも「憲法」の名に値しない。さらに、天皇に関する記述はあるものの、それ以外は日本の文化・伝統や国体・国柄を反映したものではないので、そもそも「日本国」の名を冠すること自体おこがましく、その名にも値しない。すなわち、現行憲法は、「日本国」の名にも、「憲法」の名にも値しない代物である。現行憲法は、本来、「占領軍の基本法」ぐらいが、その名称として相応(ふさわ)しいのではないだろうか。

★（13）民政局＝Government Section, ＧＳ
★（14）署名は１９０７年10月、日本は１９１２年2月12日に加盟した。
★（15）大湖(おおご)彬史(あきふみ)「諸外国における戦後の憲法改正〈第８版〉」、『調査と除法』No. 1228、国立国会図書館、２０２３年3月27日

第3節　公職追放

米国務省は、１９４５年9月22日、国務・陸軍・海軍三省調整委員会（ＳＷＮＣＣ（スワンク））による「降伏後における米国の初期対日方針」（SWNCC 150/ 4/ A）を発表した。なお、ＳＷＮＣＣ（State-War-Navy Coordinating Committee）は、前年の１９４４年12月に設置されたばかりの枠組みである。これは、一般的な政策であり、より具体的には、統合参謀本部（ＪＣＳ）の「初期の基本的指令」（JCS 1380/ 15）が、同年11月3日、マッカーサーに伝達され、これがＧＨＱの公職追放に関するバイブルとなった（増田［1996］,p.4）。その中で、軍国主義者及び極端な国家主義者の追放を規定した。それに基づきＧＨＱは、１９４６年1月4日、覚書「好ましくない人物の公職よりの除去」（SCAPIN（スキャッピン）−550）などいわゆる公職追放令を出した（第一次公職追放）。

これを皮切りに、以後数次にわたって公職追放令が出され、中央だけでなく地方の市町村の幹部、さらには公職とはいえない町内会長や武道振興団体の「大日本武徳会（ぶとくかい）」の幹部にまで追放が及んだ。追放者の追加が終了した１９４８年5月までに、21万人近くが追放された。追放を恐れ、その前に自発的に離職した者も少なくなく、さらに家族を含めれば、全体で約１００万人が影響を受けたといわれる。まさに、「日本の支配層の大掃除」であった。国民の広い層に及んだことから、まさに「占領期最大の（社会的）恐怖」と言えよう（斉藤勝久［2020-2021］）。公職追放研究の第一人者である立正大学の増田弘名誉教授は、「俗に〈泣く子も黙る占領軍〉といわれたのも、このパージ（purge）があったからこそとも言える」（増田［1996］,p.299）と述べている。

ところで、公職追放とは2つの意味を持っていた。一つは、現に公職についている者は即刻「退職を強要される」、すなわち「除去」（removal）の意味と、いま一つは、「今後再び公職を希望しても「就職できない」」、即ち「排除」（exclusion）の意味があった。そして、除去ないし排除の対象になった者には、退職金その他の諸手当は支給されなかった。すなわち、実質的には社会から抹殺されたも同然であった（増田［1996］,p.299）。

１９４６年1月4日、第一次公職追放令が発せられた。公職追放を担当したＧＨＱ民政局の一番のねらいは、前年12月選挙法改正（20歳以上の男女全員に選挙権）を踏まえた戦後初の衆議院議員選挙で、予め好ましくない候補者をふるいにかけることであった。そのため、当初予定されていた投票日は1月22日であったが、まずそれを4月10日に延期させた。その上で、事前審査を行うために、同年1月30日、省令「衆議院議員の議員候補者たるべき者の資格確認に関する件」（内務省令第2号）を公布・施行した。この資格審査を申請した衆議院議員候補者の総数は

３３８４名、追放該当者93名、自発的に申請を取り下げた者１５９名であった。すなわち、合計２５２名が立候補できなかった。しかし選挙結果は、自由党１４０議席、進歩党94議席、社会党92議席となり、社会党の誕生を期待していたＧＨＱ民政局を失望させた（増田［1996］,p.10）。なお、この選挙の結果、衆議院議員総数４６４議席のうち80・４％（３７３議席）を新人議員が占めたので、旧勢力を一掃したいとするＧＨＱの意図はかなりの程度、達成されたといえるであろう。

当然のことながら、第一党となった自由党総裁の鳩山一郎が組閣するものと思われた。ところが、５月４日の朝、まさに組閣名簿を携えて登院しようとして自宅にいた鳩山のところに日本政府の使者が訪ねてきて、鳩山が公職追放処分にされたことが告げられた。これで、鳩山は総理大臣どころか、この日から衆議院議員でもなくなった。

本章の前段で述べたように、鳩山は１９４５年9月15日、『朝日新聞』に掲載されたインタビューで、戦争責任について悪びれることなく、むしろ、戦時中のアメリカ軍の行動を非難していたことに加え、総選挙前後に共産党批判を鮮明にしていたことが民政局を刺激したものと思われる。これは、ＧＨＱの直接指令第1号（5月3日付）の追放者となったが、ＧＨＱによる全く恣意的な公職追放であった。

ＧＨＱが定めた追放基準は、A項からG項まで計7項目あったが、G項は「その他軍国主義者・超国家主義者」とされ、あいまいな基準であった。このG項は西ドイツには適用されなかったが、日本へは加えられた。鳩山はこのG項で追放されたのである。鳩山に対する追放処分は、全く理不尽なものであったがゆえに、ともかくGHQに逆らってはいけないとする意識が国民に広がり、よくも悪くも、抜群の見せしめ効果を発揮した。総選挙を控え、事前に立候補者全員をふるいにかけることまでしておきながら、そうして実施された選挙結果を蔑ろにしたわけであり、民主主義の原則を完全に踏みにじる行為である。しかもGHQは、事実上、総理大臣になることが決まっている者を就任の前日の夜になって、強権を発動して急遽阻止することを決めたわけであり、もっての外と言わねばならない。その結果、代わりに、同年5月22日、吉田茂が総理大臣となった（第一次吉田茂内閣）。

こうしたことについては、われわれ日本人としては、今日でも機会があるごとに、国際的な場でGHQの所業を明確に非難すべきである。すでに述べたが、私は2019年9月28日、ニューヨークで開催されたアメリカの学会で、「GHQが日本に仕掛けた巨大な洗脳の檻、1945-1952」と題する報告を行ったが、そこで、鳩山一郎がGHQによって首相就任を阻止された不当な事実と背景についても明確に伝えた（Yamashita［2019］）。こうした理不尽なことが、世界のどこでも決して起こらないように警鐘を鳴らし続けることが大切である。

第一次公職追放のちょうど1年後の1947年1月4日、第二次公職追放が行われた。これは、同年4月に予定されていた第1回統一地方選挙と戦後第2回目の衆議院選挙を踏まえたものである。統一地方選挙は、４月５日と４月30日に、衆議院選挙は４月25日に実施された。衆議院選挙は前年に行ったばかりであったが、１９４７年２月６日、マッカーサーから吉田首相に宛てた書簡で「次の選挙の時機が熟している」と示唆されたことを踏まえたものである。これはすなわち、当時、首相の解散権までＧＨＱの手中に行ってしまっていたことを意味するものである。他方、それに加えて新憲法の施行（同年５月３日）を前に、吉田首相が自らの正当性を問いたいということもあったはずである。

第二次公職追放では経済界、言論界（文化）、地方（「地方パージ」）へ拡大した。衆議院議員選挙の結果は、社会党が１４３議席を獲得し、第一党になり、片山哲（てつ）内閣（社会党と芦田均（ひとし）の民主党の連立政権）が誕生した（５月24日）。これで、ＧＨＱ民政局のケイディスらが望んだ左派政権が日本に誕生したことになる。

ここで、ＧＨＱによる恣意的な公職追放として、すでに述べた鳩山一郎のケースに加え、もう１つ決して忘れてはならないのが、石橋湛山（たんざん）のケースである。石橋は、戦前・戦中から「日本の小国主義」を唱え、軍国主義的な動きを厳しく批判していた。また、彼が編集主幹兼社長として率いていた東洋経済新報社★⒃も、自由主義的な雑誌としての編集方針を貫いていた。石橋は、吉田内閣の大蔵大臣として、

石橋湛山

1946年秋から翌年の初めにかけて、当時、日本の国家予算の36%を占めるGHQ経費の削減を求めて交渉し、それを実現させるなど、ほとんどただ1人、GHQの意のままにならない骨のある人物であった。

そうしたことから、チャールズ・ケイディス(Charles Kades, 1906~1996年)をはじめとする民政局は、何としても石橋を追放処分にしたいと考え、戦時中の東洋経済新報社の編集方針を問題にした。日本側の審査委員会は2度にわたって、石橋は追放処分に相当しないとの結論を出したが、GHQはそれでも納得せず、1947年5月8日、ホイットニー民政局長は吉田首相を訪問し、現職の大蔵大臣であった石橋の公職追放執行命令書を手渡した。湛山の追放は、5月17日に発表された。これに対し、米週刊誌の『ニューズ・ウィーク』は5月26日号で、「大臣追放の裏側」と題する記事を掲載し、パージは日本政府が行っているというのは嘘で、GHQ民政局が指導、命令しており、石橋追放では、日本側は追放に該当しないと判定したのに、GHQが覆(くつがえ)したのだと暴露した。

いずれにせよ、湛山はこんなことをされて黙っているような男ではなかった。1947年10月、「公職追放に関する弁駁(べんばく)書」を作成した。GHQが石橋を追及するために使った資料に対する詳細な反論である。その最終部分で、「私一個のために公職追放を逃れたいとは少しも考えていない。ただ、私は、デモクラシーとその権威のために訴願する次第である」と述べている。湛山はこれを英訳し、欧米メディアやワシントンの官辺に配布した（斉藤勝久［2021-2022］）。これは、『ＮＹタイムズ』紙をはじめとする欧米の新聞に掲載された。「マッカーサーを初めてひっぱたいた日本人」との見出しを付けて報道するアメリカの新聞もあったという。湛山のケースは、アメリカ国内においてＧＨＱを批判する人たちにとって絶好な材料となった。これも、米国内の官民からＧＨＱに対して、「右旋回」を要求する起爆剤の一つになったものと思われる。

追放が膨大な数に及び、また広範な拡大を遂げるにつれ、ＧＨＱ内部でも対立が熾烈になっていった。ポツダム宣言を踏まえて、あくまでも日本社会の改造を目指す民政局のいわば「ポツダム派」と、強まって来た東西冷戦を背景に、日本経済を強くし、反共の砦にしなければならないという面を重視するウィロビー少将らを中心としたＧ２の「冷戦派」との対立である（増田［1996］,pp.17-18）。

第3章第4節でやや詳しく述べるように、これに、ワシントンの国務省や陸軍省さらには民間からも、冷戦派の立場からＧＨＱの政策を「右旋回」すべしとの動きも活発化してきた。すなわち、公職追放でいえば、追放の縮小というよりも、解除を広げるべしとの声が高まった。こうした声にこたえる形で、民政局長のホイットニーは、１９４８年5月、新たな追放を終了する旨、表明した。そしてこれ以降は、追放の解除（depurge）に向かうことになった。

ＧＨＱの主導権は、従来の民政局（ＧＳ）から参謀第2部（Ｇ２）に完全に移り、追放の対象が従来の軍国主義者・全体主義者から共産主義者に代わり、今度は逆にレッド・パージ（red purge）が行われるようになった。いわゆるＧＨＱ政策の「逆コース」である。こうした動きのきっかけとなったのは、１９４９年2月1日のケネス・ロイヤル（Kenneth Royall）米陸軍長官が、ジョーゼフ・ドッジ（Joseph Dodge）公使を伴って来日したことである。ロイヤル長官は、前年の1月6日、サン・フランシスコでの演説で、「極東における全体主義の防壁としての役割を日本に望む」と述べていたが、今回の来日はその延長線上に、「ＧＨＱの逆コース」と財政安定化を軌道に乗せることが目的であった。加えて、１９４９年1月23日の衆議院議員選挙では、吉田茂の民主自由党が２６４議席を獲得して大勝利となったものの、反面、日本共産党が35議席を獲得し、躍進したことは危機感を煽った。マッカーサーは、１９４９年7月4日の米国独立記念日における声明で、「日本は共産主義進出の防壁である」と述べ、さらに、１９５０年5月3日の日本の憲法記念日には、日本共産党の非合法化を示唆した。

吉田茂首相は、同年6月6日付のマッカーサーからの書簡を受けてレッド・パージに乗り出した。共産党および機関誌『アカハタ』の幹部41名が公職追放され（SCAPIN-548）、『アカハタ』も発行停止処分となった。同年6月26日には、共産党幹部の国会議員である徳田球一、野坂参三、志賀義雄など計6名が失職した。また、前日の6月25日に朝鮮戦争が勃発したことも、こうした動きを促進させ、1万人をこえる労働者と７００名強のマスコミ関係者が職場を追われた。このように、終戦直後は軍国主義・全体主義者の追放で始まったＧＨＱの公職追放は、ここへ来て１８０度転換され、追放の対象者が共産主義者になった。

他方、教育現場でのレッド・パージは余り進まなかった。後に詳しく述べるように、日本人洗脳のためのＷＧＩＰは、ＧＨＱのＣＩＥ（民間情報教育局）が担当していたが、その彼らが、１９４８年10月になると政策転換し、ドナルド・ニュージェント（Donald Nugent）局長（中佐）が、情報分野における反共政策の具体化に着手した。さらに同局長は、１９４９年１月３日、ＣＩＥの１年間の活動計画において、教育・文化分野における反共政策の推進をＣＩＥの課題とするようになった（明神勲［1996］,p.47）。

こうした方針を踏まえ、同年７月19日の新潟大学開校記念の祝辞で、いわゆる「イールズ声明」となる。ここで、ＣＩＥ高等教育担当顧問のウォルター・イールズ（Walter Ells）博士は、「共産主義の教授は大学を去るのが適当」と述べ、大きな衝撃を与えた。その後、同年11月８日の徳島大学を皮切りに、１９５０年５月19日の岩手大学まで、半年間余りの間に、イールズとＣＩＥ教育課のドナルド・タイパー（Donald Typer）による30の都道府県、計30回に及ぶ講演と討論の全国行脚が行われた。しかし、終盤の５月15日と16日の２日間にわたって行われた北海道大学での講演と討論において、イールズらは教員と学生から厳しく論難された（「北海道大学イールズ事件」）。その直前に行われた東北大学での講演・討論も同じようなものであったことから、日本の教育現場におけるレッド・パージは、結局余り進展しなかった（明神［1994］,pp.24-25）。なお、サン・フランシスコ講和条約の発効（１９５２年4月28日）後に、追放者は全員解除された。

それにしても、ＧＨＱの政策が、このように比較的短期間に正反対の方向に転換した原因は、何であろうか？ それは、そもそも第二次世界大戦の敵・味方の構図が、初めから大きく捻れていたからに他ならない。端的に言えば、第4章で詳しく述べるように、ルーズヴェルトが、戦うべき相手を間違えたことが根本的な原因である。基本的には、ＧＨＱの政策の１８０度転換も、ルーズヴェルトが戦うべき相手を間違えたことの証左の一つなのであり、また間違えたことによる当然の帰結でもある。彼が戦うべき相手を取り違えたことによるその後の国際社会への影響は極めて甚大かつ長期にわたっており、20世紀の歴史上最大の問題といっても過言ではない。

★（16）石橋は、終戦直後の１９４５年9月、ＧＨＱの初代経済科学局長のレイモンド・クレーマー（Raymond Kramer）大佐から招かれ、東洋経済新報社の月刊英語誌 *Oriental Economist* が、ロンドンの *the Economist* 誌に次ぐ経済紙だと誉められた。

第４節　ＧＨＱによる現代版の「焚書坑儒」

ここに挙げたＧＨＱによる洗脳手段の７つの柱は相互に関連しており、この節で取り上げる第３の柱である教職追放と禁書は、言論統制の一部ともいえるが、いわば現代版の「焚書坑儒（ふんしょこうじゅ）」として独立してこの節で取り上げることにしたい。ＧＨＱの行為は、かつての絶対的独裁者の焚書坑儒を想い起させる極めて忌まわしい行為である。ＧＨＱが完全な独裁者だったことの証明でもある。

教職追放については、以下の４本のＧＨＱ指令もしくはポツダム政令が出ている。

・１９４５年10月22日、ＧＨＱ教育に関する４大指令のうちの第１指令「日本の教育に関する管理政策」を発令、主として教育内容と教職追放に関する基本方針を示す

・１９４５年10月30日、ＧＨＱ教育に関する４大指令のうちの第２指令「教育及び教育関係官の調査、除外、認可に関する件」を発令、教職追放を具体的に指示（「教職追放令」）

・１９４６年５月７日、「教職員の除去、就職禁止及び復職等の件」（勅令第２６３号）

・1947年5月21日、「教職員の除去、就職禁止及び復職等に関する政令」教職不適格になる事項とは、①軍国主義者、②極端な国家主義者、③占領目的への違反者、とされた。これらの措置によって、合計7千名以上の教員が教職不適格処分を受けたようである。しかし、その前に自発的に辞めた教員が11万6千人に及んだ。したがって、戦前・戦中にいた教員総数約50万人のうち12万3千人余り（全体の約25％）が追放されたことになる。このほかに、公職追放処分となった大学教授がいるわけであり、それらを加えたもの、これがいわばGHQ版による「坑儒」の被害に遭った人の数といえよう。いずれにせよ、公職追放と同じように、サン・フランシスコ講和条約の発効（1952年4月28日）とともに、教職追放者も全員、追放解除となった。

出版物の禁書（焚書）の方は、1946年3月17日、第1回目の「宣伝出版物の没収に関するGHQ覚書」が日本政府に示された。基本的には、官公庁にあるものと流通段階からの没収であるとされ、図書館に所蔵されているものや一般家庭にあるものは一応対象外であるとされた。これ以降、実に、1948年4月15日の最終回まで、合計48回にわたって、禁書の指令が次々と出された。その結果、禁書処分になった本は、合計7000冊以上に達した（占領史研究會・澤龍[2005],pp. 10-11）。

どういう人たちが禁書処分を受けたのであろうか？　GHQから禁書処分を受けた著書の数が

最も多いのは、明治・大正・昭和にわたってジャーナリストとして活躍した野依秀市（１８８５～１９６８年）で、24冊が禁書とされた。彼は１９３２年8月、『帝都日日新聞』（『帝日』）を創刊し、戦前も戦後も一時期、衆議院議員を務め、また日本民主党総裁も務めた。野依の次に禁書にされた著書の数が多いのは、歴史哲学者の仲小路彰（１９０１～１９８４年）であり、23冊に上っている。仲小路は一流の学者であり、禁書になった彼の本の多くは、２０１０年以降、国書刊行会から復刻版が出ているが、一般的には今日よく知られている人ではないと思う。仲小路は、東京生まれであるが、夏目漱石に憧れて熊本の五校に通った。そこで、佐藤栄作と同級となり、学業成績ではほぼ仲小路が1番、佐藤が2番だったという。佐藤栄作が首相を務めていた頃は、仲小路が私的シンクタンクの役割を果たしたともいわれるが、佐藤政権が実際にとった政策を振り返ると、仲小路の考え方を余り反映しなかったのではないかと考えざるを得ない。

また、意外なところでは、和辻哲郎の本が1冊、禁書になっている。１９４４年7月、筑摩書房から出た『日本の臣道　アメリカの國民性』という80ページ余りの小冊子である。柳田國男も、『神道と民俗学』（明世堂書店、１９４３年4月）という本が1冊、禁書にされている。これも、少々意外ではないだろうか。いずれにせよ、いまやＧＨＱから禁書にされた本の著者を祖先に持つご子孫の方々は、むしろ誉れに感じておられるのではないだろうか。

仲小路と並んで、戦前の一流の学者の中では、大川周明も著書8冊が禁書処分を受けている。

彼の場合、禁書にされたのは全く意外ではなく、さもありなんという感じであろう。私は、ダイレクト出版の会員制の動画シリーズ『GHQ禁書アーカイブス』で、2022年10月1日から、大川周明（1886〜1957年）の禁書『米英亜細亜侵略史』（第一書房、1942年1月）に関する解説（2時間弱）を配信したので（山下［2022 a］）その本の出版に至る経緯と内容について、ここでごく簡単にそのエッセンスをご紹介したい。これぞまさしく、GHQが真っ先に禁書にしなければならないと考えたに違いない本である。

1941年12月8日（米国時間では12月7日）の日米開戦の直後、当時の日本政府は、当然のことであろうが、戦争の目的とそこに至った経緯を、国民に対して論理的かつ実証的に説明することを試みた。そこで、白羽の矢が立てられたのが当時55歳の大川周明である。大川は、「五・一五事件」の黒幕的人物として禁錮5年の有罪判決を受け、服役の経験もあるいわば前科者であったが、日本政府は大川を頼みとした。当時、最も即時性のあるメディアはラジオだったので、ラジオでの大川周明による連続講演となった。早くも、開戦から1週間足らずの12月14日に始まり、12月25日までの12日間の『米英亜細亜侵略史』と題する連続講演となった。これを本にして、翌月、第一書房から出版されたものがベストセラーとなった。しかし戦後、この本がGHQから禁書とされたわけである。

ここで、大川が言っているのは、アメリカもイギリスも帝国主義的であり、アメリカは19世紀前半に植民、征服、買収によって領土を3・5倍にした拡張主義者であり、なおかつ極めて利己的である。他方、イギリスは極めて好戦的な歴史を持っており、植民地で極めて過酷な支配を行い、中国には自からの経済的利益のために、こともあろうにアヘンを売りつけることまでした国である。米国が提唱した軍縮会議、すなわちワシントン軍縮会議（１９２１年11月～１９２２年2月）もロンドン軍縮会議（１９３０年1月）も、日本を標的にしたいずれも身勝手極まりないものであり、欺瞞に満ち溢れている。それに対して、日本が掲げる「東亜新秩序」は、アジアを欧米の植民地支配から救うという崇高な理念があるというのが大川の主張の大意である。

私も、１９２２年2月調印のワシントン軍縮会議（主力艦の保有比率を「米：英：日＝５：５：３」にする）や１９３０年4月調印のロンドン軍縮会議（巡洋艦、駆逐艦、潜水艦などの補助艦の保有比率）で米国から提案された各国の軍艦の保有比率を差別的に取り決めようという提案は、何の根拠もないものと考える。発想が誠によこしまであり、わが国はそもそもこの種の交渉には応じるべきではなかったと考えている。

対中国政策についていえば、１８９９年9月、米国務長官ジョン・ヘイ（John Hay, １８３８～１９０５年）が日本を含む主要国に通牒したことに始まり、その後もずっとアメリカが盛んに呼びかけていた中国に関する「門戸開放政策」（Open Door Policy）なるものは、そもそも、中国への進出に後れ（おく）を取った米国が自分たちも何とか中国へのアクセスを確保しようと画策したもアメリカは、昔も今も、このように自分たちは普遍的であるかのように装おうとするが、この前年の1898年、アメリカは、米西戦争（1898年4月〜同年8月）の末に、フィリピン、プエルト・リコ、グアムを領有し、さらに別の経緯からハワイを併合しており、この頃のアメリカは、ヨーロッパの主要国と同様に、まさに帝国主義的な膨張主義の国でしかなかったことを指摘しておきたい。

第5節　日本の伝統的な歴史・道徳教育の全面的禁止

第４の柱は、日本の伝統的な歴史・道徳教育の全面的な禁止である。ＧＨＱは、１９４５年10月22日、「日本の教育に関する管理政策」を発令した。同年12月15日には、「神道指令」（SCAPIN-448）が出され、国家神道が禁止されるとともに、「八紘一宇」、「大東亜戦争」という用語の使用が禁止された。また、同年12月31日には修身、歴史、地理教育が全面的に禁止されるという、日本人を構成する人格の重要部分を奪い去るかのような全く不当な措置がＧＨＱによって取られた。これによって、『古事記』、『日本書紀』、さらには神武天皇の国作りの物語を記した作曲・信時（のぶとき）潔、作詞・北原白秋の傑作である交声曲「海道東征」がタブー視された。この楽曲は、１９４０年の皇紀２６００年の奉祝曲の一つとして作曲された壮大なカンタータである。

第一次米国教育視察団が翌年１９４６年３月に来日して、一カ月近く滞在して報告書をまとめ公表した（同年４月７日）。その団長は、ジョージ・ストッダード（George Stoddard, １８９７～１９８１年）という歴史家であるが、ここで何を勧告したかというと、例えば、漢字を廃止してローマ字にしろとか、そういう提案まで含まれていた。この報告書では、「客観的歴史と神話の分離および文学としての外国神話とともに日本の神話の保存」（訪日アメリカ教育使節団（編著）［1979（1946）］）と記しており、国民文化としての神話の温存は保障されていたのではあるが、実際には、日本の音楽文化の誇りである名曲「海道東征」は、戦後70年間近くも演奏されることはなかった。

信時潔（１８８７〜１９６５年）の没後50年を迎える頃から、「海道東征」の全曲完全演奏をとの声が高まり、２０１４年2月11日（建国記念日）、熊本で上演された。実に終戦から69年が経っていた。その後、翌２０１５年11月20日（金）の夜、すなわち終戦から70周年、信時の没後50周年の年に、大阪のザ・シンフォニー・ホールで大々的に公演が行われ、私も参加した★⒄。非常に感動的な演奏で、最後に「海ゆかば」が歌われた頃には、多くの方々が感極まった表情をしておられたのが大変印象深かった。長年の鬱屈を晴らした思いなのであろう。「海道東征」は、それ以降おそらく毎年、東京と大阪で演奏されているのではないだろうか。

いずれにせよ、この第一次米国教育視察団の報告書が、１９４７年3月31日に公布・施行された「教育基本法」のベースとなったわけである。さらに、第二次の米国教育使節団が来て、１９５０年1月にその報告書が出た。

また、１８９０年（明治23年）10月30日発布された明治天皇の「教育勅語」についていえば、終戦直後、アメリカ側には、「〈教育勅語〉は国家神道の聖書である」といったような認識があり、彼らは明らかにこの勅語の事実上の廃止を望んでいた。まず、ＧＨＱでＷＧＩＰを担当していた民間情報教育局（ＣＩＥ）のケネス・ダイク（Kenneth Dyke, １８９７〜１９８０年）局長が、１９４６年2月2日、安倍能成（よししげ）文部大臣に対して、「新教育勅語」（案）の作成を要請した。日本側は、検討に入るが、「教育勅語」に代わるものを作るなどという考えには反対する意見が多く、同年9月25日、教育刷新委員会の第一特別委員会が、「新教育勅語」を発布しないことを決めた。そこで文部省は、同年10月8日、文部次官通牒「勅語及び詔書等に取り扱いについて」（昭和21年発秘3号）を発出し、「教育勅語」をもって教育の唯一の淵源とする考えを排すること、式日（しきじつ）等における「教育勅語」の奉読を禁止すること、教育勅語の謄本を神格化するような取り扱いをしないことの3点を指示した。

ところが、それから1年半以上経った１９４８年5月になると、ＧＨＱ民生局（ＧＳ）から、衆参両院の文教委員会委員長に対して、「教育勅語」の排除・失効を求める口頭指示が出された。それを踏まえ同年6月19日、衆参両院はそれに応える決議をした。すなわち、衆議院では「教育勅語等排除に関する決議」、参議院では「教育勅語等の失効確認に関する決議」である。同年6月25日、文部次官通牒「教育勅語等の取扱いについて」が発出され、ここに、占領下における「教育勅語」に関する一連の処理が終了した。こうして、「教育勅語」は、効力を失った状態となった。

以上見てきたように、「教育勅語」については、実に念の入ったGHQからの指示があったわけであるが、1952年、サン・フランシスコ講和条約が発効した折、両院決議を撤回するとともに、「教育勅語」を再びわが国の教育の基本に据えるべきであった。「教育勅語」の内容は、問題ないどころか、文明社会としての長い歴史を有するわが国らしい非常に素晴らしいものであり、今からでも遅くない。国会議員の方々には、すぐに実行に移してもらいたいものである。アメリカのように、多民族国家で一体性を保つのが難しい社会の人々にとっては、「教育勅語」のような存在は実にうらやましいものであると同時に、それだけに警戒感も余計に強くなるのであろう。

★(17) この年は、終戦から70周年、信時の没後50周年が重なったこともあり、大阪のザ・シンフォニー・ホールでは、11月22日(日)の午後にも再演され、東京では、11月28日(土)の午後、東京芸術大学の奏楽堂で、それぞれ「海道東征」が全曲演奏された。

第6節　ＷＧＩＰ

第５の柱は、有名なウォアー・ギルト・インフォメーション・プログラム（War Guilt Information Program, ＷＧＩＰ）である。もっとも、大きくいえば、ここで紹介するＧＨＱ洗脳の７つの柱は、すべてＷＧＩＰの一環ということもできる。ＷＧＩＰは、占領軍が来日した直後の１９４５年9月から始まった。ＧＨＱの組織としては、民間情報教育局（ＣＩＥ、Civil Information & Education Section）が担当した。ＣＩＥの局長は、当初はニュー・ディーラーのケネス・ダイク大佐、１９４６年5月からは、ドナルド・ニュージェント（Donald Nugent）大佐が務めた。

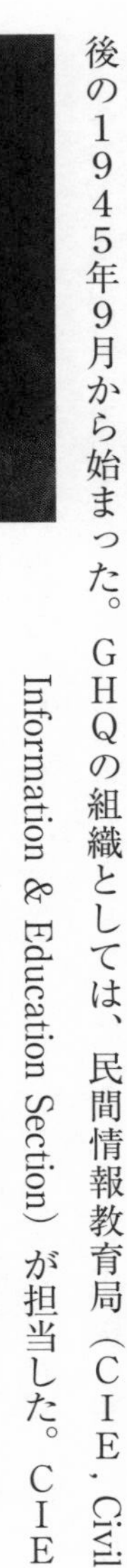

ルーズヴェルト（ＦＤＲ）

しかし、実は、これは占領軍のイニシアティヴでやったことではないのである。つまり、日本を洗脳の檻にしたのは、マッカーサーのイニシアティヴではなく、アメリカ本国のイニシアティヴなのである。基本的には、フランクリン・ルーズヴェルト大統領が１９４２年6月13日、すなわち開戦後間もない頃であるが、戦時プロパガンダ機関であるＯＷＩ（Office of War Information）、日本語では戦時情報局というものを設置したのであるが、その流れを汲む戦略であった。したがって、あくまでもワシントンＤ.Ｃ.が主導したものである。その上で、徹底した日本人洗脳プログラムが、連合軍最高司令部（ＧＨＱ／ＳＣＡＰ）の民間情報教育局（ＣＩＥ）が担当となって実施された。

まず5項目にわたる「日本人再教育プログラム」（ＧＨＱ情報頒布部）なるものが、１９４５年の9月17日に出た。その第2項目に、「日本の敗戦の事実を明らかにし、日本国民に戦争の責任、日本軍の犯した残虐な行為及び日本の指導者の戦争責任を熟知せしめる」ということが記されている。これが、ＷＧＩＰの一番大きな目的である。

そして、ＧＨＱは、洗脳のバイブルとも言える『太平洋戦争史』という冊子を出した。これは、ＣＩＥ企画課にブラッドフォード・スミスという課長がいたのであるが、原文の英語版（約1万5千ワーズ）は彼と課のスタッフが書いた。しかし、この本の邦訳（高木書院）の奥付を見ると、「資料提供」がＧＨＱのＣＩＥということになっていて、他方、中屋健弌（けんいち）という翻訳者の名前だけが出ている。この中屋という人は当時、共同通信社の渉外部長で、後に東大教授になった人である。しかし、この本に関しては、著者名も編者名も一切記載されていない。

一般に、書いた人の名前がない文書のことを怪文書というが、この『太平洋戦争史』は、差し詰め「怪書籍」である。私はこれまで、著者名も編者名もない本など、ほかに見たことがない。つまり、出自が怪しい冊子なのであるが、ＧＨＱはこれを日本の子供たちの歴史教科書として使わせた。自分たちが書いたということを隠しておきたかった。すなわち、自分たちは単に資料を提供しただけだという意味合いを示すために、クレジットに「聯合軍総司令部民間情報教育局資料提供」と記したと思われる。実に、卑怯なやり方ではないだろうか。

ところで、ＣＩＥ企画課長のブラッドフォード・スミス（Bradford Smith）は、どういう人かというと、戦時中は、先にも述べたルーズヴェルトが作った戦時プロパガンダ機関であるＯＷＩのホノルル支局の責任者、つまり、日本を対象とした戦時対敵プロパガンダの責任者であった。要するに、『太平洋戦争史』は、戦時中、日本を対象とする対敵プロパガンダをやっていた人が作った正にプロパガンダ本なのである。Ｂ・スミスは、戦前も日本にいて、立教大学などで英語を教えていた人であるが、母国語を教えていたわけであり、率直に言って、歴史的な著書を書けるほどの十分な知見があるとは思えない。結局、Ｂ・スミスという人は、戦中はホノルルで、戦後は舞台を東京に変え、いずれも敵国・日本を対象とするプロパガンダという同じ仕事に従事したことになる。

『太平洋戦争史』は、10万部出版され、ＧＨＱはそれを日本の子供たちの歴史教科書としても使わせた。他方、GHQのG3（参謀第3部）には戦史室というのがあり、立派な歴史の専門家も揃えていた。そこには、100人とも200人ともいわれるが、かなり多くのスタッフがいた。マッカーサーの指示か、それともワシントンの指示かどうは分からないが、歴史の専門家ではなく、わざわざプロパガンダ屋（プロパギャンディスト）に書かせたということである。このことをもってしても、『太平洋戦争史』が、最初から、日本を貶めるために、プロパガンダ目的で書かれたことが分かる。江藤淳は、『閉された言語空間』で以下のように述べている。

『太平洋戦争史』は、まさにその「プログラム」（WGIP）の嚆矢として作成された文書にほかならない。歴史記述をよそおってはいるが、これが宣伝文書以外のなにものでもないことは、前書きを一読しただけでも明らかだといわなければならない。そこにはまず、「日本の軍国主義者」と「国民」とを対立させようという意図が潜められ、この対立を仮構することによって、実際には日本と連合国、特に日本と米国との間の戦いであった大戦を、現実には存在しなかった「軍国主義者」と「国民」との間の戦いにすり替えようとする底意が秘められている。

これはいうまでもなく、戦争の内在化、あるいは革命化にほかならない。「軍国主義者」と「国民」の対立という架空の構図を導入することによって、「国民」に対する「罪」を犯したのも、「現在および将来の日本の苦悩と窮乏」も、すべて「軍国主義者」の責任であって、米国には何らの責任もないという論理が成立可能になる。大都市の無差別爆撃も、広島・長崎への原爆投下も、「軍国主義者」が悪かったから起こった災厄であって、実際に爆弾を落とした米国人には少しも悪いところはない、ということになるのである（江藤淳［1994(1989)］,pp. 270-271）。

『太平洋戦争史』は、歴史教科書といえるような代物ではなく、日米の個別の戦闘を時系列に紹介し、その中で日本軍の無謀性とか残虐性を浮かび上がらせ、日本の指導者とか軍部の責任を、日本国民に吹き込もうとするものである。まともな歴史書、少なくとも巨視的な視点の歴史書では全くない。しかし、これがＧＨＱの対日洗脳のためのバイブルになった。次いでＧＨＱは、この内容をドラマ仕立てにしたＮＨＫのラジオ番組（複数）も作ることにした。

つまり、『太平洋戦争史』は、プロパガンダ屋が書いた「ためにする歴史的な読み物」なのであるが、本文１５８ページの比較的小さい冊子なので、全文を５大新聞に、10日間にわたって連載させた。ところで、当時の新聞は、ペラの１枚だけで、裏表2ページだけだった。しかし、『太平洋戦争史』を連載させた10日間に限っては、特別に、紙2枚４ページの特大版に仕立てて、基本的には第2面と第４面に『太平洋戦争史』の内容を掲載させた。10日間、新聞で合計20ページになるが、『太平洋戦争史』の内容をすべて掲載したわけである。第１回目の掲載日は、１９４５年の12月８日とされた。これは、いうまでもなく日本時間で真珠湾の日である。彼らはわざわざこの日を選んだ。やることが非常にいやらしいというか、嫌味たらしい。なお、新聞に掲載した時には、「真実なき軍国日本の崩壊」という副題を付けた。ちなみに、冊子（本）の方の副題は、「奉天事件より無条件降伏まで」となっている。

先の戦争に関して日本政府が付けた正式名称は、「大東亜戦争」（"the Greater East Asia War"）である。アメリカは、洗脳目的からそれを否定して、自分たちが付けた名称である「太平洋戦争」を、この冊子『太平洋戦争史』（"the Pacific War"）のタイトルに冠したのである。したがって、「太平洋戦争」はＧＨＱ洗脳用語のいわば「一丁目一番地」である。私は日本人として、こうした名称を使うべきではないと考えるが、例えばＮＨＫは、必ず「太平洋戦争」と表現することにしているようである。

しかし、のちに詳しく述べるように、ＮＨＫは、ＧＨＱに物理的に自分たちの本拠地にまで乗り込まれ、大きなスペースを占拠された上で、彼らの日本人洗脳計画の共犯者にさせられたわけであり、日本のメディアの中でも最も苦い経験をさせられたはずである。比喩的に言えば、ＮＨＫはＧＨＱにレイプされたといっても過言ではない。それにもかかわらず、今日に至るもなお、ＮＨＫの洗脳用語の「一丁目一番地」を使い続けるとは、一体どうしたことであろうか。自分たちが洗脳に協力させられたことを反省しないどころか、そうした事実を告白することすらしていないから、そうしたことが平気でできるのである。この点については、第5章第1節で詳しく論じることにする。

ＮＨＫのラジオ番組『眞相はかうだ』(*Now It Can Be Told*)は、この本の内容を劇仕立てにして、俳優たちに語らせたドキュメンタリー・ドラマである。真相はこうなんだ、つまり、あなたたちはこれまで大本営発表ばかり聞いていて、何も真実を知らされなかったが、我々が真実を教えてあげますよ、というのが基本的スタンスである。

この番組は、毎週日曜日のゴールデン・アワーの夜８時から30分間、ＮＨＫ第1と第２で同時放送された。しかもその後は、平日に、曜日と時間帯を変えて２回再放送された。これは、一つは学校の生徒用の時間帯として木曜日の午前11時から、もう一つはサラリーマン用の昼休み用の時間帯として月曜日の12時30分からに合わせた（竹山昭子［1990］.p. 106）。そういうことで、合計、週３回、執拗に繰り返し繰り返し放送させた。

なお、番組名が旧仮名づかいになっているのは、これもＧＨＱの指導によって、現代仮名づかいに移行する以前だったからである。ちなみに、現代仮名づかいへの移行は、当用漢字表（１８５０字）の使用とともに、１９４６年11月16日、それぞれ内閣訓示と内閣告示で実施された。

１９５０年代から１９６０年代前半にかけて、ＮＨＫで編成局長、放送総局長、専務理事など華々しい役職を歴任し、初めて生え抜きのＮＨＫ会長になるかもしれないとまで言われた春日由三(よしかず)（１９１１〜１９９５年）という方がいた。その春日が、１９６７年に、『体験的放送論』（日本放送出版協会）という本を書いているが、その中で、終戦直後ＧＨＱがＮＨＫを通じて放送させたラジオ番組『眞相はかうだ』について触れている。春日は、当時、ＮＨＫの演劇部副部長だったので、その番組を担当させられたそうである。『眞相はかうだ』は、すでに述べたように、日本人を思想的・文化的に洗脳するためのバイブルともいえる冊子『太平洋戦争史』を、劇仕立てにしてラジオ番組にしたものである。担当といっても、企画はすべてＧＨＱの人間が行い、ＮＨＫはできたものをただ単に電波に乗せて流すだけだった。

そもそもＧＨＱは、当時ＮＨＫが入居していた内幸町の放送会館に乗り込んできて、ＮＨＫスタッフを５階のワン・フロアに押し込め、自分たちが６階と４階をすべて占拠した。６階には検閲を担当したＧＨＱ参謀第２部の民間対敵諜報局（ＣＩＳ）の傘下であるＣＣＤ（民間検閲支隊）が、４階には洗脳を担当したＣＩＥ（民間情報教育局）が入った。つまり、ＮＨＫから見ると、上の階には検閲部隊、下の階には洗脳部隊ということで、完全に占領軍に挟まれた状態での業務を余儀なくされたわけである。ちなみに、ＣＩＥは、連合軍総司令部の直属で、当初はニュー・ディーラーのケネス・ダイク大佐が局長を務めていた。他方、ＣＣＤは参謀第２部（Ｇ２）に所属しており、こちらの総指揮者は反共主義者のチャールズ・ウィロビー少将であった。

『眞相はかうだ』の企画は、ＣＩＥがすべて行った。ＧＨＱ洗脳のバイブルである冊子『太平洋戦争史』をベースに、ＣＩＥラジオ課（課長＝Ｇ・Ａ・ベップル少佐）のスタッフが編集・脚本・演出を担当した。劇的なナレーションを使う形で、『太平洋戦争史』の内容を伝えようというスタイルであった。劇的な効果を出すためであろうか、番組は、ベートーベンの『第五交響曲』第１楽章の「運命」の主題から始まり、随所に派手な効果音が入ったという。

これは、１９３３年から１９４５年まで全米で放送されて好評だったラジオ・ニュース番組（企画および広告主＝『タイム』誌）の『マーチ・オブ・タイム』（*the March of Time*）の日本版を目指したとされる。『マーチ・オブ・タイム』は、１９３３年３月、ＣＢＳから始まり、後年はＮＢＣやＡＢＣなどに引き継がれ１９４５年まで放送された。

ＮＨＫは、技術的なこと、あるいは声優の手配（後の名女優・加藤治子も出演）を含めて事務的なことを担当させられたわけであるが、春日は一種の罪滅ぼしであるとして、彼の著書の中で「〈真相はかうだ〉の真相――ＣＩＥ監督下の放送」と題する８ページにわたる記述を遺（のこ）している。彼はそこで、自分たちもＧＨＱの洗脳に加担させられたことを告白している。ＧＨＱのプロパガンダについて告白し、罪滅ぼしと言っているので、一応、反省していると考えて良いのではないかと思われる。ＧＨＱ洗脳に加担したことの告白・懺悔という意味では、私の知る限りでは、これがメディア人によるこれまでで最も真摯なものだと言えると思う。ただし、これは春日がＮＨ

Kを1965年に退職した後に書いた自著の中で個人の気持ちを表明したということであり、NHKとして正式に意志表明したものではない（春日由三［1967］,pp. 267-274）。

当初の計画では、計20回放送する予定だったらしいのであるが、評判が芳しくなかったということで、実際には計10回、1946年2月10日を最後に終わってしまった。先にご紹介したNHKの春日の本によると、抗議の手紙が殺到したという。まだ終戦直後だったので、日本の軍隊はこんなんじゃなかったとか、英霊に感謝するべきだとか、そういう内容だったようである。春日はそうした非難の投書の束（翻訳済み）をGHQの責任者の机にドサッと毎日置いたのだそうであるが、その責任者は、どうせリスナーの評判は良くないことは分かっていたので、その度ごとに凄く嫌な顔をしたのだそうである。そこで、日頃GHQに力ずくで完全に押さえつけられっぱなしの春日としては、その一時（いっとき）だけは多少溜飲を下げたと書いている。

日系アメリカ人2世で、GHQ／CIEラジオ課の通訳主任であった馬場フランク正三（1915～2008年）は、GHQの後、一旦、米国に帰国した後、再度来日し日本に長期滞在した上で日本の放送事業に深く関与した。彼は、日本の放送界の発展に大きな貢献をした人であるが、「聴き取りでつづる新聞史」（1986年）の中で、「（『眞相はかうだ』は、）戦時中の日本軍隊の悪業を暴露するものなんです。だから、これは随分恨まれましたけどね。脅迫的葉書がよく来ました。そこに爆弾を仕掛けたとか、協力者を殺すとか……」と述べている（竹山昭子［1990］,p.

ている。

130)。なお、馬場は日本の放送事業に貢献したとして、この１９８６年に勲三等瑞宝章を受章し

『眞相はかうだ』の評判が余りにも悪かったので、ＧＨＱはその後、リスナーからの質問に答える形のより穏やかな内容の番組にして、『眞相はかうだ・質問箱』(*Now It Can Be Told: Question Box*, 毎週金曜日夜８時からの15分番組)、『眞相箱』(*Truth Box*, 毎週日曜日夜８時からの30分番組)、『質問箱』(*Question Box*, 毎週水曜日夜８時からの30分番組) と名称と体裁を変えながら、１９４８年1月４日まで続けた。例えば、『眞相箱』では、番組の冒頭は、「我々日本国民を裏切った人々は、今や白日の下にさらされております。戦争犯罪容疑者たる軍閥の顔ぶれはもうわかっています」(櫻井よしこ [2002],p.12) というナレーターの語りで、毎回始まっていた。さらに、その後は、毎日夜８時からの『インフォメーション・アワー』(30分番組) という民主主義思想啓発のための番組に衣替えし、これは、ＧＨＱが去る１９５２年まで続いた。こうして、ＧＨＱのプロパガンダ放送は、彼らが日本を去る最後まで続いたのである。

ＧＨＱが去ってから70年以上になるが、日本のメディアは、ＧＨＱによる日本人洗脳の共犯者にさせられたことを、まだほとんど告白すらしていない。大手メディアがそのことをしっかり反省し、報道に生かしてきたとすれば、今日に至るも、概ね９割の日本人が今なお洗脳から抜け切れていないなどという情けない事態にはならなかったはずである。

この際、メディアは大いに反省して、そのことを表明すべきである。これは、読者視聴者に対してのみならず、公器としてのメディアの国民全体に対する義務である。GHQ洗脳の共犯者にさせられたことについて、メディア各社は、ほとんど告白・懺悔していないので、すでに国民に対して巨大な負債を負っていることになる。このまま不作為を続ければ、メディアの国民に対する負債は日々積み上がることになる。この点は極めて重要なので、第5章第1節で、詳しく論じることにしたい。

ここで、WGIPを3つの時期に分けて、それぞれの特徴を見ておきたい。江藤淳の『閉(とざ)された言語空間』でも3つの段階に分けているが、やや明確さに欠ける部分もないわけではないので、江藤の3段階を踏まえながらも、ここでは私なりに少し整理した形でご紹介しておきたい。

第1段階は、言うまでもなく、GHQ洗脳のバイブルである『太平洋戦争史』を中心とした段階である。これをベースに新聞、ラジを通じて執拗に流すとともに、学校の教科書として使用し、日本軍の残虐性を喧伝した。内容としては、すでに南京やフィリピンにおける日本軍の残虐性に関することも含まれていた。これによって、それこそ物心のついた当時の日本人すべてにメッセージが届いたと思われる。

第2段階は、1946年5月3に開廷した東京裁判を中心とするものである。本章の第8節で述べるように、東京裁判自体が大仕掛けのWGIPであるが、東京裁判の審理の内容、特に検察側の論点と検察側証人の証言について細大漏らさずメディアに伝えるよう尽力した。

第3段階は、江藤によれば、１９４８年2月6日付で、ＷＧＩＰを担当するＧ２／ＣＩＥ（民間情報教育局）から同じＧ２（参謀第2部）内のＣＩＳ（民間諜報局）に宛てた「ウォアー・ギルト・インフォメイション・プログラム」と題する文書から始まっているとされる。東京裁判における米国人のジョーゼフ・キーナン（Joseph Keenan, １８８８〜１９５４年）首席検事の最終論告のわずか5日前であった。ＧＨＱは、当時どのような危機感を持っていたかというと、一つは、東京裁判で東條英機が自分の立場を堂々と表明したことから、東條が処刑された暁には、殉国の志士になりかねないという危機感、今一つは、広島・長崎への原爆投下について残虐行為だとの烙印を押し始めるような動きも米国内に出てきたことであった（江藤淳［1994（1989）］,p. 280）。日本が無法な侵略を行った歴史と軍の残虐行為、とりわけ「マニラの掠奪」をクローズ・アップして伝えるという基本方針だったようである（江藤淳［1994（1989）］,pp. 279-284）。

東條英機

江藤淳は、このようにＷＧＩＰの第3段階が実施されたということは、その時点（１９４８年2月）で、必ずしもＧＨＱ／ＣＩＥの期待通りの成果が上がっていなかったからではないかと述べている。その上で、「しかし、その効果は、占領が終了して一世代以上を経過した近年★(18)になってから、次第に顕著なものとなりつつあるように思われる」（江藤淳［1994（1989）］,p.272）と述べている。また、１９８２年夏の鈴木善幸（ぜんこう）内閣の中国・韓国に対する土下座外交も、『おしん』★(19)も『山河（さんが）燃ゆ』★(20)も、本多勝一（かついち）の「南京虐殺」に対する異常な熱中ぶりも、すべてが戦後の『太平洋戦争史』と題するＣＩＥ製の宣伝文書に端を発する空騒ぎだと言わざるを得ない、としている（江藤淳［1994（1989）］,p.272）。

戦前・戦中を実体験した人たちが少なくなる中で、また、戦後民主主義の進歩的文化人たちが継承増幅してきた自虐史観とも相まって、ＧＨＱが捏造したに近いストーリーが真実味を持ってしまったということであろうか。

この節の最後に、保守主義の始祖とされるアイルランド出身で英国の国会議員を長年務めたエドマンド・バーク（Edmund Burke, １７２９～１７９７年）が『フランス革命の省察』（１７９０年）で述べた、２３０年以上前の言葉が大変興味深いので紹介しておきたい。フランス革命を厳しく批判し、まるで占領軍のやり方だと述べているのであるが、ＧＨＱが日本にしたことも概ねそれと同じである。

> 実際これは、過酷な占領政策を敷く際に用いられる方法とまるで変わらない。征服した相手を一層打ちのめし、抵抗する気力を奪うにはどうしたらいいか。宗教、政治、法律、慣習、

すべてにおいて、相手側の伝統をできるだけ根絶やしにすることである。……（中略）……革命派がフランスを「解放」したやり方たるや、古代ローマ人がギリシャやマケドニアなどを制圧した手口と同じではないか（バーク［2011（1790）］, p. 215)。

★（18）江藤の『閉された言語空間』の初出は、１９８２年から１９８６年にかけて月刊誌『諸君！』（文藝春秋）に連載されたものである。
★（19）１９８３年度のＮＨＫ連続テレビ小説で、原作は橋田壽賀子。
★（20）１９８４暦年のＮＨＫ大河ドラマで、原作は山崎豊子。

第7節　徹底した検閲を伴った言論統制

第6の柱は、徹底した検閲を伴った言論統制である。GHQによる日本の占領統治は、基本的には、日本政府を通じての間接統治であったが、洗脳と検閲については、GHQによる直接統治とされた。

これも東京に来たマッカーサーの部隊がイニシアティヴをとったのではなく、ワシントンの主導によるものであった。すでに終戦前の1945年の4月20日、米軍の統合参謀本部（JCS）は、「日本における民間検閲基本計画」というものを作っている（江藤淳［1994（1989）］,pp.130-139）。これはどういうものかというと、3つの基本方針が定められており、第1は、対日検閲計画は、対独検閲計画すなわちドイツに対する検閲計画に比べて著しく厳格なものとする。第2に、日本を「実効ある検閲の網の目」によって包囲し、その言語空間を外部世界から完全に遮断する。「日本に対する世界的情報封鎖」（"a Universal Communications Blockade"）といっているのであるが、これはすなわち私のいう日本列島全体を「洗脳の檻」（"a Cage of Brain Washing"）にしようということである。

ここで重要なのは、日本人に対してだけでなく、日本において検閲を伴った洗脳が行われていることを世界全体に対して秘匿したことである。アメリカ人も含めて秘匿したのである。したがってアメリカは、日本人だけでなくてアメリカ人をも含めて世界全体の人々を騙した、ということになる。第3は、「6項目の検閲規則」というものであるが、これは後にGHQから1946年11月25日にメディア各社に発出された「30項目の検閲指針」（非公表）という悪名高いものがあるが、その先駆けとなったものである。「30項目の検閲指針」については、言論統制の決定版であるとして、本章の第1節ですでに少し述べたが、ここでその具体的な内容を紹介しておこう。江藤淳によれば、アメリカ国立公文書館分館所在の資料である（江藤淳［1994（1989）］, pp.237-242）。

【30項目の検閲指針】（1946年11月25日）★(21)

1. 連合国最高司令官（もしくは総司令官）に対する批判
2. 極東国際軍事裁判に対する批判
3. GHQが日本国憲法を起草したことに対する批判
4. 検閲制度への言及（検閲をしている事実の秘匿を含む）
5. アメリカに対する批判

6. ロシアに対する批判
7. 英国に対する批判
8. 朝鮮人に対する批判
9. 中国に対する批判
10. 他の連合国に対する批判
11. 連合国一般に対する批判
12. 満洲における日本人の取り扱いについての批判
13. 連合国の戦前の政策に対する批判
14. 第三次世界大戦への言及
15. 冷戦に関する言及
16. 戦争擁護の宣伝
17. 神国日本の宣伝
18. 軍国主義の宣伝
19. ナショナリズムの宣伝
20. 大東亜共栄圏の宣伝
21. その他の宣伝

22. 戦争犯罪人の正当化および擁護
23. 占領軍兵士と日本人女性との交際
24. 闇市の状況
25. 占領軍軍隊に対する批判
26. 飢餓の誇張
27. 暴力と不穏の行動の扇動
28. 虚偽の報道
29. ＧＨＱまたは地方軍政府に対する不適切な言及
30. 解禁されていない報道の公表

それより前の１９４４年の11月12日に、米統合参謀本部から戦域軍最高司令官のマッカーサーに宛てた命令書（JCS 873/ 3）がある。敵国領土占領期間中を含めて、民間通信検閲の責任を戦域軍司令官に課すという命令である。したがって、ワシントンの命令によってマッカーサーが動き、日本で検閲したということである。具体的にどのように検閲を実施するかについては、マッカーサーに大きな裁量が与えられていた。しかし、この命令書によれば、ワシントンの統合参謀本部が命令するまで、占領地における検閲を解いてはいけないということまで書かれている（江れた計画である。

藤淳［1994（1989）］,p. 23）。このように、日本での洗脳とか検閲は、完全にワシントンの主導で行わ

こうしたワシントンからの指示をどこまで遡れるか見てみることにしよう。１９４４年5月19日、リアリー陸軍省高級副官からマッカーサーに宛てた公信「軍の占領または管理下にある諸地域における民間通信検閲――12項目の覚書」というものが出ている。さらに元を辿ると、ルーズヴェルトが日米開戦直後の１９４１年12月19日に設置した大統領直属の合衆国検閲局（Office of Censorship）に行き着く。その長官はバイロン・プライスという人で、これはもちろんルーズヴェルトが任命した人物である。

この人は、元々はジャーナリストであるが、彼が陸軍長官のヘンリー・スティムソン宛てに送った書簡というものがあり、これは１９４３年の6月2日付なので、実際の終戦より2年以上も前のことである。その書簡で、Ｂ・プライス長官は、すでにこの時点で、将来の占領地域における米軍による検閲の実施を求めている。すなわち、陸軍長官あてに、戦争に勝利したら、占領地で検閲をするのでしょうね、ということを予め確認しているわけである。そして、6月22日付でスティムソンからちゃんと返事が戻ってきていて、やりますよということを確認しているのである

（江藤淳［1994（1989）］,pp. 27-29）。

要するに、このバイロン・プライスという合衆国検閲長官が、日本における検閲の構築に際し

て、少なくとも初期の段階では背後で極めて重要な役割を果たしたことになるわけである。しかしながら、合衆国検閲局の設立も、その長官であるバイロン・プライスの任命も、ルーズヴェルト大統領が行ったものであり、結局のところ、実質的にはルーズヴェルトが主導をして日本を「巨大な洗脳の檻」と化した、といっても過言ではない。

検閲の概要であるが、５大新聞（朝日、毎日、讀賣報知、東京、日本産業経済）に対する完全なる事前検閲を開始したのは１９４５年10月8日である（江藤淳［1994（1989）］, p.210）。各社は毎朝、ゲラを2部ＧＨＱに提出し、添削を受けて、そのうち１部を返却してもらい、その通りに印刷するという手順であった。

すでに紹介した「30項目の検閲指針」（１９４６年11月25日）の第25項目目に、「占領軍に対する批判の禁止」があるが、酷い例としては、占領軍兵士による婦女暴行や強盗といった凶悪な刑事事件ですら、報道はタブーとされた。新聞、雑誌、壁新聞、電信電話、書籍（含む自費出版物）、政治家の演説、映画、演劇、詩歌、歌舞伎、文楽、神楽、落語、漫才、紙芝居、唱歌、童謡、流行歌、旅行用携帯文書、子供が書いた学級新聞など、ありとあらゆる言語空間が検閲を受けた。ＧＨＱによる発禁本は、すでに述べたように、７，０００冊以上に上った。

封書も開封して検閲された。検閲は全般的に、ＧＨＱの参謀第2部民間諜報局（ＣＩＳ，Civil Intelligence Section）の民間検閲支隊（ＣＣＤ，Civil Censorship Detachment）というところが担当した。郵便検閲についていえば、取り扱った郵便が月平均2，000万通あったそうであるが、そのうちだいたい400万通くらいを開封したということである。まあ恐ろしい人海戦術で、コストを度外視した徹底的なものであったようだ。日本語で書いてあるので、最初の検閲は日本人が当たったわけであるが、最盛期は6，000人ぐらいの日本人の検閲スタッフがいたようである。一流大学の学生をはじめ、知識レヴェルが高い人が多かったようで、割合高給だったようであるが、その負担は全て日本政府に出させた。敵国のために、同胞のプライヴァシーを犯す行為ということで、当然のことながら、自責の念にかられた人も少なくなかったようで、検閲官の定着率は高くなく、最大延べ2万人程度の日本人が、郵便検閲に関与したと見積もられている（山本武利［2013］，p. 131）。

要警戒人物については、ウォッチ・リストが作られ、そうした人物については諜報目的であろうが、それ以外については郵便は、マス・メディアではないので、一般的な目的は検閲というよりも、諜報とか日本国民の世論の動向把握（もしくは世論調査）が主目的だったようである。毎月平均400万人を対象として郵便検閲を行ったので、これは世論調査としては前代未聞の大規模な母数によるものであったに違いない。

ところで、検閲を担当したCIS／CCDは、GHQの参謀2部（G2）の傘下である。G2の部長は、反共主義者のチャールズ・ウィロビー少将で、その下に対敵諜報部（CIC・

Counter Intelligence Corp）と民間情報局（ＣＩＳ）が属していた。検閲を担当する民間検閲支隊（ＣＣＤ）は、ＣＩＳの傘下にあった。ＣＣＤの初代隊長は、ドナルド・フーヴァー（Donald Hoover）大佐であった。ＣＣＤは、１９４５年9月10日に活動を開始し、１９４９年10月31日に活動を終了した。ＣＣＤは、当時の日本の人口７，２００万人をすべて検閲の対象とするために、全国に８カ所の拠点を構え、ＧＨＱの組織の中では、断トツに多くの人員を抱えていた部署であった。ＣＣＤには、通信部門とＰＰＢ（Press, Pictorial, and Broadcasting）部門があった。前者は電信、電話、郵便の検閲を行い、後者は新聞、出版、放送、映画、演劇の検閲を担当した。ＣＩＥは、メディアのコンテンツをＧＨＱの望む方向へ動かそうと工作を行うものであり、公然の機関であったが、他方、ＣＣＤは非公然の機関であった。

戦前・戦中にも増して非常に厳しい言論統制がＧＨＱによって行われたのであるが、ＧＨＱはこの事実を秘匿した。これはなぜかというと、第1に、明らかにポツダム宣言の第10項「言論、宗教及び思想の自由」への違反である。第2に、彼らが作って日本に与えた現行憲法第21条「言論の自由」にも明らかに違反する。第3に、「降伏後における米国の初期対日方針」（１９４５年9月22日）にも違反。第4に、１７９１年の合衆国憲法修正第1条「宗教、言論、出版および集会の自由」にも違反、加えて第5に、１９４１年1月6日、ルーズヴェルト大統領が一般教書演説で行った言論の自由を含む「4つの自由」宣言にも違反するからである。

欺瞞に満ち溢れた恥ずべき行為だと言わねばならない。明々白々、完全かつ多重的に違法な活動なので、秘匿するしかなかったのであろう。当然のことながら、アメリカの国内には、検閲を行うということに対しては強い反対もあった。しかし、アメリカ国民を含めて、検閲についても、洗脳についても一切知らせないと決めたわけである。

通常、検閲が行われている国では、その国の国民は、いま自分たちが言論統制に遭っていることはみな知っている。戦前・戦中の日本も、今の北朝鮮や中国、あるいはサウジ・アラビアでもどこでも、当該国の国民はみなその事実を知っている。しかし、欺瞞に満ち溢れた行動をとったGHQは、その事実を秘匿した、いや秘匿せざるを得なかった。

洗脳と検閲は直接統治といっても、それに必要とされる経費はすべて日本の国家予算の中から支払われた。すなわち、日本人は自分たちが支払った税金で、他人(敵国人)によって自分たちの頭の中を洗脳されてしまったということである。なんという不条理であろうか。封書検閲は人海戦術で行われたと述べたが、検閲に関して最も経費がかかったのが、郵便検閲にかかわる人件費である。彼らにとっては、所詮、他人の金なので、糸目をつけずに使ったということであろうか。こういうことから、すでに述べたように、一時は国家予算の36%をGHQ経費が占めるという事態になった。これに待ったをかけ、一部削減させることに成功したのが、第一次吉田内閣のときの大蔵大臣だった石橋湛山であった。しかし、彼は、その後、GHQによって極めてアンフェアな方法によって公職追放されたことは、すでに本章の第3節で述べた通りである。

GHQ洗脳の共犯者にさせられた大手メディア

ここで重要なのは、日本の大手メディアは、完全にGHQの共犯者にさせられたということである。つまりGHQがやったことは、日本の軍部や政治的な指導者を悪者にし、戦前・戦中におけるメディアの「罪」は一切不問に付して、完全にGHQの共犯者に仕立てた、ということである。ドイツの場合は、『フランクフルター・アルゲマイネ』紙、『ディー・ツァイト』紙、『南ドイツ新聞』紙、『デア・シュピーゲル』誌、ドイツ公共放送（ARD、ZDFなど）等々、現在の主要メディアはすべて戦後に誕生したものである。ただし日本でも、強すぎた同盟通信は共同通信と時事通信の2つに分割されたということはある。

しかし、ドイツとは全く異なり、日本ではGHQは戦前・戦中のメディアをそのまま残して、自分たちの共犯者に仕立て上げた。アメリカの政治学者のウォルター・ラッセル＝ミードによれば、世界史上最も残虐な戦争を戦ったのは第二次世界大戦におけるアメリカである（Walter Russel Meed［2001］）。そして、その最大の被害者は日本人である。広島、長崎と、原子爆弾を一度ならず二度までも投下し、また、夥しい数の日本の大中小都市に対して無差別爆撃を行った。

そうした自分たちの極めて非人道的な行為を糊塗するために、日本軍による南京事件やフィリピンにおける暴虐事件を、米国は戦後、盛んに喧伝した。日本のメディアは、そうしたことにも追従してきた。

１９４５年9月29日、「新聞と言論の自由に関する新措置」（9/27付 SCAPIN-66）が通達された。これは端的にいえば、日本政府によるメディアへの介入を禁止する一方、ＧＨＱには完全に従えという命令である。つまり、日本のメディアに対して、自国に対する忠誠義務を完全に奪い去り、外国権力に従わせようという指令である。

この背景には、直前に昭和天皇がアメリカ大使館にマッカーサーを訪問して会談したのであるが、その時のモーニングで正装し直立した昭和天皇と、比較的くつろいだ感じのマッカーサーが並んで立った写真を日本のメディアが掲載したということがあった。それに対して、日本政府（内務省）は、不敬に当たるということで、「頒布禁止令」で直ちに待ったをかけたのであるが、他方、ＧＨＱは問題ないとして写真を掲載させた。

要するに、このＧＨＱの「新聞と言論の自由に関する新措置」は、日本政府にはメディアに対して介入する権利は一切ないということであるが、他方、メディアはＧＨＱの言うことは絶対聞きなさい、ということを示したわけである。この新措置が日本政府に通達されたのは、9月29日の午前11時30分であるが、江藤淳は、「（この時を）境にして、日本の言論機関、なかんずく新聞は、世界に類例を見ない一種国籍不明の媒体に変質させられたのである」（江藤淳［1994（1989）］.p.209）と述べている。

このことが、現在でも尾を引いており、外国から言われたことには全般的に弱く、とりわけアメリカから言われたことに対しては滅法弱く、それがかなり無理な要求であったとしても、あたかも米側の主張を最初から聞き入れるべきだとの印象を与えるようなメディアの報道ぶりが目立つ。他方、日本政府は貶めるというのが日本のメディアの一般的な傾向として残っているのは、このＧＨＱ指令がいまだに大きな影響を残しているということではないだろうか。

不当に簒奪された「プランゲ・コレクション」

ＣＣＤが、１９４９年10月末に解散した後、書籍、定期刊行物、新聞などの膨大な「ＣＣＤコレクション」は、ＧＨＱ戦史室長を務めたゴードン・プランゲ（Gordon Prange、１９１０～１９８０年）教授★(22)がメリーランド大学に持ち去り、現在は同大学の「プランゲ・コレクション」となっている。しかし、山本武利早稲田大学名誉教授のいうように、これらの資料は、日本人が作ったかけがえのないものである。戦勝国が戦利品として不当に簒奪したものであり、日本政府として米側に返還要求すべきである（山本武利［2021］.pp.249-250）。

戦勝国が、こうした歴史的な資料を戦利品として奪い去ることなど許されるはずはない。米側が残しておきたい資料の希望があるのであれば、複写を取って保存しておくことは認めるにしても、オリジナルについては日本側にすべて返却させるべきである。日本政府としては、「プランゲ・コレクション」のすべてについて返還要求を行うべきである。

★(21) 江藤の『閉された言語空間』では、指針の日付については、「1946年11月末」となっているが、同年11月25日付であることが判明している。括弧名については、筆者が追記したもの。

★(22) 戦前・戦後を通じて、米メリーランド大学の歴史学の教員を務めたが、1942年から1951年までは、海外で軍務についた。

第８節　ＧＨＱがやってのけた壮大稀有な歴史認識の大転換

欺瞞に満ち溢れた東京裁判

最後の第７の柱は、東京裁判である。これは、戦勝国史観をプレイ・アップするためのおそらく世界史上最大規模のスペクタクル、すなわち平たくいえば、見世物である。史上最大の世界的な広がりを持つエンターテインメントといってもよいのではないだろうか。これによって、「白を黒」、「黒を白」と言いくるめる史上稀にみる劇的なパラダイム・シフトを、米国はやってのけたということである。日本の戦争目的自体は、アングロ・サクソンの植民地支配からアジアを解放するということで立派な理念があったのであるが、ＷＧＩＰと東京裁判によって、「日本＝悪」、「アメリカ＝善」という構図が、国際社会に刷り込まれてしまったのである。しかし、歴史的な事実は、むしろ正反対であったことを第４章で明らかにしたい。

東京裁判は非常に大きな問題であり、論点はいくつもあるが、本稿では詳しくは立ち入らない。裁判管轄権（ジュリスディクション）の問題とか遡及(そきゅう)法は無効だなどの法律論も無論あるが、それよりも何よりも一番大きな問題は、そもそも勝者が敗者を裁くという構図自体が、極めてアンフェアかつおぞましい発想であり、初手から倫理上完全に間違っている。しかも、世界史上最大規模の言論統制を敷いた中、すなわち、日本列島全体を「洗脳の檻」の状態にした上で行ったことなのである。いずれにしても東京裁判は、戦勝国によるプロパガンダの茶番劇以外の何物でもない。今日では、すべて無効と考えるべきである。

小野田寛郎さんを除いてすべての日本人が洗脳された

以上見てきたように、ほとんどすべての日本人が、GHQによって、少なくとも一旦は洗脳されたということだと思われる。アメリカは、戦時中は日本の大中小の夥しい数の都市を火器によって絨毯爆撃したのであるが、戦後は日本人の頭の中を思想的・文化的に絨毯爆撃を行ったといっても過言ではない。

象徴的にいえば、小野田寛郎さんを除いて、すべての日本人が洗脳されたのではないかと、私は考えている。親が子供に対して非常にしっかりした教育を行ったため、例外的に洗脳されなかった人もいるであろうが、しかしそれは非常に限られていると思われる。小野田さんは、1974年3月に帰国したが、およそ30年間、フィリピンのルバング島のジャングルの中にいて、日本にいなかったので洗脳から完全に逃れることができた。しかし、日本に帰ってみたら、自分の家族を含めて、日本人全員が洗脳されていたわけである。小野田さんのことであるから、自分で調べてみて、アメリカに洗脳されたのだなと、直ぐに分かったことであろう。その時点で小野田さんは、戦後の日本に深く失望したはずである。自分は戦前・戦中の価値観そのままだが、周りの人々の価値値はすべて変わってしまっていた。そして、いたたまれなくなって、帰国からわずか1年余り後の１９７５年4月、ブラジルに移住した。彼が帰国したのは１９７４年であるから、私はすでに社会人になっていたけれども、その当時、私は小野田さんの行動がどうしても理解できなかった。１９７４年といえば、第一次石油ショックの翌年なので、本当の意味での高度成長の時代は終わっており、日本はすでに割合豊かになっていた。

30年間もジャングルの中で苦労してきて、ようやく、豊かになった日本に帰ってきたというのに、どうして日本を捨ててブラジルに移住するのか、当時の私には分からなかった。それは、私の頭の中が、当時はまだ、ＧＨＱの洗脳から解けていなかったからだということである。いま現在は、私は完全にＧＨＱの洗脳から脱しているので、小野田さんの行動はよく理解できる。小野田さんのとった行動は、日本社会が戦後いかにＧＨＱによって完全に洗脳されたか、ということの証左である。小野田少尉は、あたかも「単身人間タイムカプセル」のように、戦前の頭の中のまま、30年後に、ＧＨＱによって完全に洗脳されてしまった後の日本社会に帰ってきたということである。

実際にアメリカは、戦後、海外在住の日本人をできるだけ帰国させようとした。そのために、例えば大陸からの引き揚げ者のために、船を出すというようなこともしている。それは、すべての日本人を「洗脳の檻」の中に入れるためだったのである。しかし、小野田さんは、そうした枠組みから完全に外れた例外中の例外だった。小野田さんの事例は、日本におけるGHQ洗脳の本質を知るための格好のケース・スタディではないかと思われる。

「洗脳の檻」とはどういうことか？

本章の第2節で、現行憲法は、1946年2月4日に始まる計9日間で、GHQのスタッフ計25名が手分けして起草したものだと述べたが、その中の一人に、当時若干22歳の女性ベアーテ・シロタ（Beate Sirota、1923～2012年）★(23)が含まれていた。彼女は、当時、世界的に著名なピアニストだったキーウ出身のユダヤ系ウクライナ人（ソ連邦内のウクライナ共和国）の父レオ・シロタの娘である。レオは、「リストの再来か」ともいわれるほどの超一流のピアニストであったが、ヨーロッパで反ユダヤ主義が台頭してきたため、家族を連れて1929年夏から半年間の予定で、東京に滞在することにした。しかし、東京に滞在していた間に、ウォール街の株価大暴落をきっかけとする世界大恐慌が起こり、また、ドイツではナチ党が台頭してきたこともあり、シロタ一家は、そのまま日本に滞在し続けることにした。15歳で東京のアメリカン・スクールを卒業したベアーテは、やがてカリフォルニア州オークランドの全寮制の女子大学ミルズ・カレッジへの留学を決め、単身渡米した。ベアーテが米国留学中に日米が開戦となり、親子の行き来は途絶えた。

ベアーテは、ミルズ・カレッジを優秀な成績で卒業し、２年間ほどＯＷＩ（戦時情報局）で仕事をしたのち、『タイム』誌に編集調査員として就職した。彼女は、『タイム』誌の日本特派員に依頼して、両親が無事でいることを確認した。そこで、何としても両親に再会したいと希望するが、当時の日本は、「洗脳の檻」状態だったために、基本的に一般人の入国は非常に難しかった。幸い日本語、ロシア語をはじめ６カ国語に堪能だった彼女は、ＧＨＱの民政局に就職でき、来日が適い、軽井沢に疎開していた両親と再会することができた。

このように、外国人（当時の彼女はすでに米国籍を取得済み）が日本に入ることは非常に難しかったのである。ベアーテは、やがて、ＧＨＱから憲法起草の極秘命令を受け、３名からなる人権小委員会に所属し、そこで彼女自身は、社会保障と女性の権利についての条項を担当した。ちなみに、当時の合衆国憲法には、社会保障や女性の権利についての規定はなかった。

他方、すでに述べたように、終戦時に外国にいた日本人は極力、日本に戻そうとした。大陸から日本人を復員させるために船を提供したこともあった。日本人をもれなく「洗脳の檻」の檻に入れるためである。

もう一つ例を挙げるとすると、米国人の著名なジャーナリストのジョン・ハーシー（John Hersey、1914〜1993年）★(24)は、1946年、広島に来て、原爆の被害者を取材し、同年、『ニューヨーカー』誌にルポを寄稿するとともに、『ヒロシマ』と題する写真集を出版して大変注目された。彼が広島に滞在していた時、ニューヨークの家族に宛てた手紙が残っているが、それらには、仕事のことには一切触れられていないことが分かっている。外国人が、日本の国外に出す手紙も検閲されていたからである。なぜかというと、日本を「洗脳の檻」にしていたことを世界に知られたくないからある。ハーシーはそのことをよく知っていたので、家族あての手紙には差し障りのないことしか書かなかったのである。このように、前節で述べたバイロン・プライス検閲長官の終戦前からの狙いであった「日本に対する全世界的な情報封鎖」の世界が、戦後、GHQによって実現していたのである。

GHQで外交局長（GHQにおける米国務省代表）および連合国対日理事会（ACJ）の米国代表を務めたウィリアム・シーボルト（William Seabald、1901〜1980年）★(25)が、『日本占領外交の回想』を書いている。原著は1965年に出て、その翌年の1966年に日本語版が出ている。その「はしがき」の2ページ目に書いてあるのだが、GHQの計画について、「一国民全体を改造しようとする前例のない企てだったのだ。その結果は、よかれ悪しかれ、今日の日本に見られるとおりである」（シーボルト［1966（1965）］,P.2）とある。すなわち、非常に大それた計画であるということを自分たちでも十分に分かった上で、周到に計画を立て、それを実行に移したということである。そして、良かったか、あるいは悪かったかどうかは分からないけれども、とにかく効果は凄くあった。そして、その効果はいまだに効いていると、１９６０年代の半ばに述懐しているわけである。途方もない大計画であり、それをやってのけた恐ろしい人たちだと言えると思う。率直に言って、計画の全体にわたって欺瞞、陰湿、悪辣、卑劣の限りを尽くしているとの印象を受ける。

ＧＨＱが作り、今もなお存在する有害な反日組織

これも極めて重要なことだが、現在、有力な反日勢力の多くは、戦後ＧＨＱによって作られたということがいえる。例えば日教組（ＪＴＵ）がそうである。１９４７年６月８日に設立されたが、これは、ＧＨＱと共産主義者の羽仁（はに）五郎が緊密に相談をしてできたものである。それから日本学術会議（ＳＣＪ）も、ＧＨＱの指令で、日本の科学者に二度と軍事研究をさせまいとする意図で、１９４９年１月20日に設立された。日本学術会議は、１９５０年と１９６７年に「戦争を目的とする科学研究は絶対に行わない」とする声明をまとめ、さらに２０１７年にその声明の継続を宣言した。日本学術会議は、戦後のＧＨＱの狙い通りに、占領下で決めた声明を未だに後生大事に守っているということである。したがって、今日でも、日本学術会議は日本の国家安全保

障政策にとって極めて大きな障害になっているのである。

また教科書問題についていえば、いまだに共産主義者に支配されている日本学術会議が学習指導要領の作成などに非常に強い影響力をもっていることも大きな問題である。それから日本弁護士連合会（ＪＦＢＡ）である。１９４９年9月1日に設立されたが、これもＧＨＱが作らせたものである。日弁連の国際委員会は、国連ジュネーヴの人権理事会や諸々の人権条約に基づく諸委員会、さらには国連ニューヨークの女子差別撤廃委員会（ＣＥＤＡＷ）などで、極めて反日的な活動を積極的に行っている。これに対して、戦前にあった日本弁護士協会を再建しようという動きがあることはあるが、まだ大きな動きにはなっていない。

また、現在の東京地検特捜部の前身は、ＧＨＱ民政局のケイディス次長が作った隠匿退蔵物資事件捜査部である。検察庁法に基づいて、１９４７年4月16日に検察庁ができたが、その中に、同捜査部が設置された。その後、隠匿退蔵物資事件捜査部は、１９４９年5月、東京地検特捜部に改組された。率直にいって、東京地検特捜部の判断には首を傾げたくなるようなときがある。その際たるものが、ロッキード事件である。同事件は１９７６年2月、アメリカ上院の外交委員会多国籍企業小委員会における公聴会で発覚した。田中角栄は問題はあったかもしれないが、戦後の日本には稀に見る強いリーダーシップを備えた極めて有能な総理大臣だったと思うが、東京地検特捜部は前総理に対する捜査を嬉々として進めていったように、私には思われる。ほとんどすべてアメリカ側から出た話や証拠をベースにしていた。東京地検特捜部の場合、やはり出自が問題なのであろうか。

このように、ＧＨＱが戦後に作った組織は、実質的にはいまだに共産主義者に支配されているところが多く、反日的で日本の国益に反する活動をしているところが少なくない。

カルタゴの教訓

ここで、一つのエピソードとしてカルタゴの教訓ということに注目してみたい。カルタゴと古代ローマが、地中海の貿易覇権を巡って戦ったのがポエニ戦争であるが、これは紀元前２６４年から紀元前１４６年にかけて、３回にわたって戦われた。カルタゴは今のチュニジアの首都であるチュニスを本拠地としており、当時、地中海の既存の海洋勢力として強大であった。他方、ローマはまだ新興勢力に過ぎなかった。この戦争で、ローマは相当苦しめられる場面もあった。

例えば、第二次ポエニ戦争で、カルタゴのイベリア半島における司令官だったハンニバル将軍は、イベリアから陸路はるばるヨーロッパ・アルプスを越えて、イタリア半島にまで遠征し、イタリア中部ウンブリア州のトラジメーノ湖の北西の湖畔に位置するトゥオーロ（Tuoro）という所が戦場となった（「トラジメーノの湖の戦い」）。ハンニバルは、５万の兵、９千頭の軍馬と荷役動物、さらに戦いのための象（戦象）を37頭連れて行軍した。

世界史上、非常に長い距離を移動する軍隊の遠征は失敗に終わったケースが多いのであるが、このハンニバルの大遠征も、必ずしも成功したとは言えなかったかもしれない。しかしローマは、カルタゴにそこまで攻めて来られたということである。そういうこともあって、ローマもかなり苦戦したのであるが、最終的には第三次ポエニ戦争で、ローマの完勝、カルタゴの完敗で終わった。ほとんど全てのカルタゴ人が殺されるか奴隷にされた。

徳富蘇峰（そほう）は、『終戦後日記――頑蘇夢物語（がんそむ）』の中で、終戦の年の12月25日付で、「ローマがカルタゴに臨んだる態度は、歴史上極めて残虐なるものであったが、米人がわれらに臨む態度はそれに十倍している」（徳富蘇峰［2015（2006）］,p. 391）と述べている。こうして、ある時期、北アフリカとイベリア半島を中心に、地中海西部の広大な地域を支配するほどの強大な勢力を誇ったカルタゴは、新興勢力のローマに完全に滅ぼされてしまった。なお、カルタゴというのは、元々はいまでいうレバノン辺りの東地中海に住んでいた人たちで、紀元前12世紀頃から地中海の海上交易を盛んに行っていた。その後、時代を経るにつれて、元々はフェニキアの植民都市の一つであったチュニスが活動の中心となっていた。

ところで、フェニキアというのはカルタゴの言葉なのであるが、それをラテン語ではポエニ（Poeni）と言う。それで、ローマの側から見てこの戦争を、ポエニ戦争と呼んだわけである。カルタゴの人たちはこの戦争をポエニ戦争と呼んだはずはないので、何か別の名称を付けていたはずである。これは、戦後ＧＨＱが、大東亜戦争でなくて、アメリカ側からみた太平洋戦争という用語を日本人に押し付けたのと似ている。カルタゴは完全に滅亡してしまったので、今では世界的にポエニ戦争という名称が言われているわけである。

ところで、そのポエニは英語ではピューニック（Punic）と言う。したがってポエニ戦争は、英語ではピューニック・ウォアーズ（Punic Wars）と称する。今日の英語のピューニック（Punic）という言葉は、「カルタゴ人」とか「カルタゴの」という意味なのであるが、そのほかに「カルタゴ人のように信義のない」とか「裏切りの」という意味でも使われている。それは、ローマ人によって一方的に付け加えられたわけで、敗戦国であるカルタゴは、ローマ人からこうした汚名を着せられてしまったわけである。２０００年以上の歳月が経過しているのであるが、今日に至るまでそれが残ってしまった。それはカルタゴが完全に滅亡してしまって、もはや何の反論もできないからにほかならない。

このように考えると、日本にとっての教訓は何であろうか？　敗戦国は、戦勝国によって不当に貶められ、汚名を着せられ、有効な反論をしなければ、いつまでもそれが残ってしまうということである。例えば、戦後、南京事件とかあるいはフィリピンにおける暴虐事件とかそういうものを、東京裁判などの場を通じて、アメリカによって言い募られた。また、それと同じようなことが、慰安婦問題についてもいえるわけであるが、有効な反論をしなければ、敗戦国はいつまで経ってもその雪辱を晴らすことができない、ということである。

日本はカルタゴとは異なり、滅亡したわけではないので、我々が有効な反論、あるいは反論というよりもむしろ、大きくいえば世界史全体を書き換えていくような意気込みで取り組む必要があるのではないかと、私は考えている。そのように行動すべきであり、さもないと、いつまで経っても日本は、歴史認識において汚名をそそぐことはできないのではないだろうか。

★(23) 戦後日本に戻り、同じGHQ内で勤務していたゴードン中尉と結婚して、ベアーテ・シロタ・ゴードンとなる。

★(24) 小説『アダノの鐘』で、1945年、小説部門のピューリッツアー賞を受賞している。

★(25) 元々、米国務省の外交官で、後に駐ビルマ大使、駐オーストラリア大使などを歴任した。

第3章

GHQの対日洗脳工作における共産主義の影響

第1節　GHQ対日洗脳の手本は毛沢東・八路軍の日本人捕虜に対する敵軍工作

フランクリン・ルーズヴェルト大統領（FDR）は、中国での日本との戦いにおいて、「国共合作」が望ましいと考えるようになった。おそらく、1943年末ごろから1944年初めにかけての頃である。すなわち、四川省の重慶に本拠を置く蒋介石（しょうかいせき）の国民政府と陝西（せんせい）省の延安に本拠を置く毛沢東（もうたくとう）の中国共産党との協力関係の修復である。そのためとして、FDRは、蒋介石の国府軍の同行を伴わない形での米軍の延安への視察団の派遣を強く希望した。

しかし、当然のことながら、蒋介石はそれに強く反対した。また、実はイギリスもこの頃、そうしたFDRのアイディアにかなり反対していた。しかしながら、左翼思想にかなり理解のあったFDRは、これを何としてでも実現させようと考え、厚い信頼を置いていた副大統領のヘンリー・ウォーレス（1888〜1965年）★(26)を重慶に派遣して、蒋介石の了解を取り付けさせることにした。1944年3月上旬、重慶に到着したウォーレス副大統領は、国民政府がオブザーバーとしても参加しない形での米軍の延安派遣について、渋々ではあるが、何とか蒋介石の了解を取り付けた。

これを踏まえ、1944年7月22日、延安米軍視察団（the Dixie Mission）の第1陣が延安に到着し、毛沢東、朱徳、周恩来など中国共産党の要人から熱烈な歓迎を受けた。団長のデイヴィッド・バーレット（David Barrett）米陸軍大佐（中国語の情報将校）以下総勢18名（うち4名がOSSスタッフ）であった★(27)。その後も、同年8月7日の第2回ミッションをはじめとして、終戦後の1947年3月11日まで合計2年半余り、米国は何回もミッションを派遣し、その都度、要員は入れ替わるが、延安に留まった。

毛沢東

1944年7月下旬の第1陣以降、同年11月末までが、特に米軍と八路軍の「蜜月期間」といわれる。早稲田大学の山本武利名誉教授は、「1944年末までは、中共も八路軍も、その戦略、戦術や日本軍の諜報をかなりオープンにアメリカ側に提供した」（山本［2006］,p. 6）と述べている。

1944年9月に延安に派遣された駐・重慶アメリカ大使館館員のマクラッッケン・フィッシャー（McCraken Fisher）は、延安リポートの第1号から第10号までをまとめた人であるが、八路軍側が何の見返りを要求することなく、米側が必要な情報を得るのに全面的に協力してくれたことを高く評価している（山極晃［2005］,p. 24）。

中共側は、米国のミッション要員を通じて、中共の勢力誇示と清新なイメージを世界へ向けて宣伝することを狙っていたようである。ミッション要員の構成は米陸軍が中心で、それに、戦時ブラック・プロパガンダを担当するＯＳＳ（米戦略諜報機関）、戦時ホワイト・プロパガンダを担当するＯＷＩ（米戦時情報局）、在・重慶米国大使館員が加わった。また、数は少ないが米海軍からの参加もみられる。

全71本の延安リポートの中には、「捕虜の扱い方」と題する八路軍敵軍工作ハンドブック第5版（１９４１年）や「八路軍の敵軍工作」（１９４４年末）と題する日本捕虜の扱い方の歴史について、反省も含めて客観的に自己評価したものなどがあり、中共側が、八路軍の敵軍工作部が書いた貴重な機密資料そのものまで米国側に提供していたことが分かる。前者は延安リポート第46号であり、後者は第60号である。後者については、１９４５年３月21日に、延安からワシントンに送られ、前者については日付の明記はないものの、おそらく１９４４年末から１９４５年初めにかけての期間に、ワシントンに送られたものとみられる。

盧溝橋（ろこうきょう）事件（１９３７年７月７日）の約３カ月半後の同年10月23日、八路軍は敵軍工作を開始した。すなわち、日本兵捕虜を獲得する重要性が強調され、この日、師団から中隊に至るすべての部隊に対し日本語を教え、日本語を話せる幹部を訓練し、敵文書を収集すべしとの命令が、敵軍工作部から出された（延安リポート第60号、山本［2006］, p. 641）。

当初彼らが日本兵に対して使った宣伝スローガンは、「天皇制打倒」、「国へ帰って革命に参加せよ」、「日本兵の投降を歓迎する、我々と手を組もう！」などという直接的なメッセージであった。しかし、その種のスローガンは、日本人にアピールしないどころか、日本人のプライドを損ねることに気づいた（延安リポート第60号、山本［2006］,p. 642）。その後、試行錯誤を重ねながら、彼らは、自分たちのマニュアルを頻繁に改良していく。すでに述べたように、延安リポート第46号は、「捕虜の扱い方」と題する八路軍敵軍工作ハンドブック第5版（１９４１年）であるが、その時点ですでに第5版であり、検証と反省を繰り返し、版を重ねていることが分かる。

１９３８年から１９３９年にかけて八路軍は、これまでの彼らの敵軍工作のやり方を検証・反省し、一新した。１９３９年10月、中共・八路軍総政治部は、新たな指令「敵軍工作の目的と方向」を発し、日本人捕虜を優遇し、中共の敵は日本の軍閥であって、むしろ日本兵は中共の友であることを示すこととした。この指令が、前線に配布されるようになったのは、１９４０年春以降であった（延安リポート第60号、山本［2006］,p. 644）。

これは、１９３９年に開催された中国共産党第６回中央委員会において毛沢東が行った演説の中で打ち出した、日本の軍国主義者と一般兵卒や国民を区別し、二分する方針を踏襲したものと思われる。日本人捕虜に対する思想教育は、基本的には八路軍の敵軍工作幹部学校で教育を受けた中国人が行っていたが、この頃から、一定の教育課程を済ませた日本人捕虜を教官として積極的に使うようになったようである。また、日本人捕虜に対する待遇は、優遇どころか、かなり厚遇していたようであり、食事も、中国人より遥かに良かった。米国国務省職員で延安ミッションに参加したジョン・エマーソンは、1944年11月に、「延安の人々は、彼ら（日本人捕虜）に中国人学生が享受するよりも上等な食料を出し惜しみすることなく与えている」（延安リポート第21号、山本［2006］,p. 215）と米国に報告している。捕虜は殺さず丁重に扱い、何らかの原因によって死亡した場合には、墓標を建てて葬ることにした。1940年7月7日、八路軍総司令部から「日本兵士の墓標を建てることについての指示」が出ている。

十分ではない当時の食糧事情の中での日本人捕虜への厚遇だったために、中国側の兵士と人民から幹部に対して不満もかなり寄せられたようであり、本部からの指示を徹底させるために、「日本軍捕虜を優遇せよ」との指令が、八路軍総司令部から繰り返し出された。1940年7月、1941年8月、1942年1月に、「日本軍捕虜を優遇せよ」という同じタイトルの指令が公布されている。自分たちよりも、日本人捕虜を優遇せよとの指令を徹底させるのは容易ではなかったようであるが、やがて、徹底されるようになり、日本人の捕虜を正しく丁重に扱う教育が、兵士と人民の中に普及していった（延安リポート第60号、山本［2006］,p. 647）。

1940年10月、八路軍は延安に日本労農学校（中国名＝日本工農学校）を開校し、同年5月にモスクワから延安入りしていた岡野進（野坂参三）が校長となる。これ以降、日本人捕虜の思想教育は、この日本労農学校を通じて行われることになった。やがて、教員はすべて日本人、しかも野坂と数人を除いて他はすべて、八路軍敵軍工作の一環として一定の教育課程を済ませた日本人捕虜によって行われることとなった。新たに八路軍の捕虜になった日本人は、周りがすべて日本人という打ち解けた雰囲気の中で授業に臨むことができるようになったわけである。１９４４年2月16日、野坂らは、日本人民解放聯盟を結成し、日本労農学校の卒業生は、この聯盟に移り、宣伝ビラの作成や配布など、反日・反日本軍のプロパガンダに従事させた。中には、自ら進んでこの種のプロパガンダに参加する日本人捕虜も少なくなかった。

日本労農学校の学習コースは、基本的に政治学、経済学、社会主義、日本問題、中国語、時事問題の６教科で、思想教育だけでなく、全般的に教養を身に付けさせようとするものであった（延安リポート第45号、山本［2006］, p. 430）。捕虜になった日本兵は、元々かなり無学の農民や労働者で、ほとんどは初等教育以上の教育を受けていなかった（延安リポート第21号、山本［2006］, p. 183）★(28)。したがって、初等教育より上のレヴェルの教育を受けられたことは、むしろ歓迎すべきものと受け止めた日本人捕虜も少なくなかったようである。いずれにせよ、八路軍の日本人捕虜に対する洗脳工作はかなりの効果を上げた。

延安リポート第59号「八路軍に捕らえられた日本人捕虜の統計」によれば、1937年9月から1944年5月末までの間の日本人捕虜の合計は、実に2,522名に及んだ。そのうち、自発的投降者は115名（全体の4・6％）であった（山本［2006］,p. 638）。ただし、八路軍は、希望者に対しては原隊への復帰を認めており、かなりの数の捕虜が原隊へ復帰したようである。

以上見てきたように、正直に言って、八路軍の敵軍工作は見事だと言うしかない。後に詳しく述べるように、米軍は、八路軍の洗脳工作から非常に多くのことを学び、戦後のGHQのWGIP、日本人に対する洗脳プロパガンダに大いに役立てた。すなわち、戦後、GHQの日本人に対する洗脳工作のルーツは、毛沢東の日本の軍国主義者と一般国民を区別する二分法にあったということである。毛沢東をはじめとする八路軍の幹部は、心理戦の戦略的重要性を非常によく認識していたことが分かる。

戦闘能力に劣る中共軍としては、正面からの戦いは極力避け、ゲリラ戦、遊撃戦を中心としていたために、日本人捕虜に日本軍の侵略性を説き、自責の念を抱かせ、戦意を喪失させる戦術を取ったのであろう。先にも述べたように、自分たち中国人よりも日本人捕虜を優遇せよとの命令は容易に浸透しなかったが、八路軍総司令部（総司令＝朱徳）は、繰り返し指令を発し、次第にそうした認識を中国兵と人民の間に浸透させていった。中共幹部が、心理戦こそ戦略的に最も重要であるとの信念をしっかり堅持していたからこそ、貫くことができたに違いない。中共幹部たちの並々ならぬ、非常に強固な意思を感じる。

それに加え、1940年5月からは、モスクワ帰りの野坂参三（元・日本共産党議長）という非凡な人材を迎えることになり、洗脳の効果が飛躍的に高まった。当時、ソ連は中共を支援し、両者はかなり良好な関係にあったことから、野坂の延安送り込みに関しても、当然のことながらソ連の関与があったものと推察される。野坂は非常に有能であるとともに、共産主義者としては比較的穏健な方針を打ち出していたこともあり、中共幹部からも米国からも高く評価された。「天皇制打倒！」などということは言わず、戦後については、昭和天皇には退いてもらうが、皇室に関しては、いずれ日本にできる民主主義的な体制の下に日本国民が判断すればよいという考え方であった。

延安での動きに対しては、当時の日本の政権中枢も、敗色濃厚となる1945年2月14日の時点で、元総理大臣の近衛文麿（ふみまろ）が昭和天皇に提出した「近衛上奏文」の中に、「現に延安にはモスコーより来れる岡野（野坂）を中心に日本（人民）解放聯盟組織せられ……」という表現があるように、延安で無視できない重大な対日工作活動が展開されていることは把握していた。また当時、日本軍から延安の日本労農学校へのスパイの送り込みもしていたが、大きな効果を上げることはできなかったようである。1944年4月20日、延安の日本労農学校は、第二学校を開校した。

これは、生徒数が多くなったこともあるが、日本軍が日本人民解放聯盟を破壊するためにスパイを送り始めたため、疑わしい人物の場合、まず第二学校に入れて、身元調査をするためでもあった（延安リポート第45号、山本［2006］,pp. 469-470）。

いずれにせよ、心理戦に対する日本側の防御は、おそらく認識がかなり甘かったのであろう。中共軍は、日本軍とまともに遭遇することを極力避け、心理戦に徹底したのであろう。熱戦では日本軍の方が圧倒的に優位だったのかもしれないが、心理戦では完全に敗北した。蔣介石の国民政府と日本との心理戦も同様なのかもしれない。今日のわれわれはそのように認識して、中国共産党並びに重慶政府との間で戦われた心理戦について、時系列を追って徹底的に検証・反省し、そこから将来に対する重要な教訓を得ることが肝要である。わが国は、諜報活動や心理戦の重要性を肝に銘じるべきである。心理戦敗戦からの教訓を正しく導き出し、今後の国家安全保障政策に反映さしていくことが極めて重要である。

★(26) ハリー・ウォーレスは、民主党の有力政治家であり、順調に行けば、FDRの大統領選挙の4選出馬に際しても、再度、副大統領候補になる可能性が大であったが、彼の強い容共姿勢が党内保守派の反感を買った。というのは、当時、すでにFDRの健康状態が懸念される状態にあったことから、万一の場合、ウォーレスが副大統領から大統領へ昇格する可能性を懸念されたのである。大統領・副大統領候補指名のため民主党党大会は、極めて不透明な裏工作や票集めなどが行われ、何回もの投票の後、ウォーレスの副大統領候補指名は阻止された。その結果、

１９４４年11月の大統領選挙では、必ずしも党内有力者とは言えないハリー・トゥルーマンが副大統領候補になった。

★(27) 延安米軍視察団に関しては、視察団のメンバーがワシントンに送ったいわゆる「延安リポート」全71本のすべてを翻訳・収録するなど、山本武利［2006］『延安リポート』（岩波書店）が大変な労作であり、詳細を極める。

★(28) 日本労農学校の生徒の前職と学歴については、延安リポート第45号「日本労農学校：一つの研究」、に統計数字が掲載されている（山本［2006］pp. 441-442）。

第2節　米外交官ジョン・エマーソンが果たした役割

１９４４年11月22日、第何回目かの延安米軍事視察団が延安を訪問したが、それには、元々は日本語の達者な国務省キャリア外交官で、当時はＯＷＩに派遣されていたジョン・エマーソン（John E. Emmerson, １９０８～１９８４年）とハワイ出身の日系２世コージ・アリヨシ（有吉幸治、１９１４～１９７６年）軍曹が同行していた。その後、エマーソンは２カ月間、アリヨシは１年以上延安に滞在し、両者ともに積極的に活動した。エマーソンは容共姿勢の強いニュー・ディーラーであり、アリヨシもアメリカ共産党に所属していた経歴を持つ人である。

２人とも、野坂参三らが日本労農学校で行っていた日本人捕虜に対する思想教育の手法は成功しているとして高く評価していた。エマーソンは、１９４４年12月３日付で、延安から「心理戦争に対する提言」（延安リポート20号）を送っている（山本［2006］, pp. 175-176）。具体的には、延安の日本人民解放聯盟の野坂参三が書いた「心理戦争に対する提言」と題する３本の短い報告書が、対日心理戦に携わる米国の諸機関にとっても有用であるとして、その３本の報告書を添付している。エマーソンは、野坂の３本の報告書を、「対日心理戦に携わるアメリカの諸機関にとっても有用である」と高く評価している（山本［2006］.pp. 175）。

エマーソンが１９４４年11月10日付でワシントンに送った延安リポート第21号「八路軍の対日本人捕虜政策」では、日本人捕虜は捕虜になった時から見事なまでに配慮の行き届いた処遇を受け、優れた医療の提供も受けている。（延安リポート第21号、山本［2006］.p.185）。日本労農学校は、野坂以下日本人によって運営されており、教員の多くも日本人捕虜であるとし、エマーソンはアメリカの収容所でも同じようにすべきと提案している。そうすれば、再教育された日本人集団は宣伝だけでなく、日本の戦後処理や講和においてわれわれが担うより重要な任務のためにも有用な人材となるであろうとしている（延安リポート第21号、山本［2006］.p. 188）。

このように、ジョン・エマーソンは、戦後、ＧＨＱが日本人に対する洗脳を行う際、戦時中、中国・延安で日本人捕虜に対して行った八路軍の洗脳工作の手法を取り入れる上で、中心的な役割を果たした。そして、すでに述べたように、軍国主義者と一般の日本人を区別する二分法は、毛沢東の思想を反映したものであるが、他方、野坂参三という有能な日本人の共産主義者を迎えることができたという彼らにとっての幸運にも恵まれたからではともいえる。また、野坂の延安派遣の背後には、ソ連の存在もあったであろう。

第２章第２節で述べたように、エマーソンは終戦直後、ＧＨＱ政治顧問補佐官として来日したが、早々の1945年10月初めに、カナダ人外交官のハーバート・ノーマンと共に府中刑務所に収容されていた日本共産党幹部の徳田球一と志賀義雄を訪ねた。これは、わずか1年足らず前に延安で野坂参三らから得た大きな教訓を東京で生かそうと考えたからに相違ない。こうしてエマーソンは、その後、東京で、WGIPによる日本人の思想洗脳に実際に参画していくことになる。エマーソンの来日は、おそらく1945年の9月前半であり、同年9月から10月にかけて矢継ぎ早に投入されたGHQのWGIP関連の諸政策に大きな影響を与えたとみられる。しかしながら、GHQにおける彼の直接の上司であったジョージ・アッチソンは、後に具体的に述べるように、共産主義に対する警戒心の高い人であり、エマーソンのGHQでの任務はわずか5カ月程度にとどまり、彼は1946年2月にはワシントンに帰任し、国務省の日本課長主任補佐官に就任した。

それから10年以上を経た1957年3月、エマーソンは米国上院の公聴会で、戦後のGHQの日本人に対する洗脳工作は、中国共産党の延安で学んだものであることを認めた（岡部伸［2015］）。エマーソンとGHQ時代に同僚であったハーバート・ノーマン（Herbert Norman, 1909～1957年）が共産主義者でソ連のスパイとの疑惑が浮上し、その関連で、エマーソンは上院国内治安小委員会の公聴会に呼ばれ、1957年3月12日と3月の21日の2日間、証言した。中国共産党の支配下で、野坂参三（元・日本共産党議長、1892～1993年）が日本軍捕虜の思想改造に成功したことに強い影響を受けたと、エマーソンは証言したのである。中国共産党八路軍の下に野坂（現地での通名＝岡野進）が作った日本人民解放連盟が日本人捕虜に対して行った心理戦（洗脳）がかなり効果を上げているとしている。その上で、「彼らの成果は米国の対日政策に貢献できると思った」と述べている★(29)。

具体的には、日本兵に侵略者としての罪悪感を植え付けるもので、軍国主義者と人民（国民）を区別し、軍国主義者への批判と人民への同情を兵士に呼びかける「二分法」によるプロパガンダであった★(30)。

実際、終戦直後から、ＧＨＱが日本国民に対して行ったウォー・ギルト・インフォメイション・プログラム（War Guilt Information Program, ＷＧＩＰ）も、前章で詳しく述べたように、「悪いのは軍国主義者であり、一般国民は悪くない」とするものであり、基本的には、延安で中国共産党の日本人民解放連盟が行った洗脳と全く同じ構図であった。エマーソンの第２回目の米議会上院での証言からわずか２週間後の１９５７年４月４日、カナダの外交官であるハーバート・ノーマンは、任地のカイロで47歳の若さで自裁した。ノーマンは１９５６年、エジプト駐在のカナダ大使としてカイロに赴任したので、自裁した当時は現役のカナダ大使であった。

ところで、エマーソンの米外交官としての外地での最終的な勤務地は東京である。エドウィン・ライシャワー大使の下で、大使館のナンバー２（首席公使）として、１９６２年から１９６６年まで勤務した。1966年といえば、私が大学の学部に入学した年だが、今思い起こしてみると、当時アメリカ大使館のナンバー2にほとんど共産主義に近い考え方の人がいて、しかもその人が、GHQの日本人洗脳政策の設計者の一人であったなどということは想像もできなかったことである。

この節を閉じるに際して、エマーソンがディクシー・ミッションの一員として中国の延安に行く前に書いた報告書を一つ紹介しておきたい。彼は、米陸軍の中国・ビルマ・インド戦域（CBI戦域）のジョーゼフ・スティルウェル司令官の政治顧問の一人として、1944年1月初めにニューデリーに赴任した。そして彼は、OWIのスタッフとともに、連合軍のビルマ援蔣（えんしょう）ルートの中枢に当たる北ビルマでの日本軍とのミッチーナ攻防戦★(31)で、日本兵に投降を呼び掛けるビラ作りや日本人捕虜の尋問に当たった。その任務から得た知見を基に彼は、1944年8月18日、ニューデリーからワシントン宛てに「日本に対する政策」と題する報告書を送った（山極晃[2005]，pp. 254-257）。

その中で彼は、日本の軍国主義者と一般の日本人を分けて、米国は、後者の反戦分子に働き掛けるべきであると主張している。そして、天皇を処罰するのではなく、また、日本の国家的存在を終焉させる意図はないという声明を、日本国民に発すべきだと提案している。これは、延安に行く約2カ月前の話であるが、エマーソンはこの時点ですでに二分法的な心理戦を提案している。

この後、延安に行って、中共八路軍と野坂の日本労農学校による明確な二分法に接してわが意を得たりということで、さらに自信を深めていったのであろう。

★（29）岡部伸「〈歴史戦〉ＧＨＱ工作 贖罪意識植え付け：中共の日本捕虜〈洗脳〉が原点―英公文書館所蔵の秘密文書で判明」、『産経ニュース』２０１５年6月8日付。

★（30）岡部伸［2015］

★（31）北ビルマ戦の天王山と言われる戦闘で、日本軍と国府軍＆米軍との間の闘い（１９４４年5月半ば～8月初め）。ミッチーナ（Myitkyina）は、イラワジ川の西岸に位置し、鉄路、空路ともに、交通の要衝に当たる。

第3節　米軍ディクシー・ミッションは何をもたらしたか

すでに見てきたように、延安米軍視察団（ディクシー・ミッション）は、戦後、アメリカが日本で行ったＧＨＱの洗脳工作の手本となった。その意味では、アメリカにとっても大きな収穫があったといえよう。他方、中国の田舎の一地方の勢力で終わることになったかもしれない中国共産党を国際舞台に引き上げる役割を果たしたのではないだろうか。だからこそ共産党は、捕虜に対する思想教育の手法など、米国が望むほとんどすべての情報を提供した。この頃、中国共産党は米国との友好を強く望んでいた。遺された数々の写真に写っている毛沢東、朱徳、周恩来などの共産党幹部たちの表情はみな満面の笑顔である。

山本武利教授は、その大著『延安リポート』の冒頭に載せた「延安リポートの性格」と題する30ページの論述における最初のパラグラフで、延安米軍視察団について、「１９４４年7月、アメリカはその後の米中関係に深刻な影響を及ぼすことになった重大な選択をした。……（中略）……それが遠因になって、5年後（１９４９年）に毛（沢東）率いる中国共産党は、蒋（介石）

の中国国民政府軍を中国大陸から放逐することになった」（山本［2006］,p.1）と述べている。すなわち、米国のディクシー・ミッションの延安派遣が、１９４９年10月１日の中華人民共和国の誕生につながる契機になったということである。私もこうした見方に全面的に賛同したい。

ディクシー・ミッションの要員を含め多くのアメリカ人は、共産主義も民主主義の一つであると認識するなど、致命的な判断ミスを犯した。米陸軍の日本語学校の教員を務めた帰米組の日系アメリカ人で、ディクシー・ミッションにも参加したジェイムズ小田はその著書の中で、ディクシー・ミッションの一員の中で、共産主義の危険性を唱え、常に警鐘を鳴らしていたのは、コージ・アリヨシぐらいのものだったと述べている（小田［1995］,p. 175）。ちなみに、アリヨシは、アメリカ共産党に籍を置いていたことがある人物である。

私が見るところ、アメリカの対中国政策の誤りの起源は、すべてフランクリン・ルーズヴェルト大統領にある。すでに述べたように、中共合作を促し、延安への米軍ディクシー・ミッションの派遣を強力に推進したのはＦＤＲ大統領自身である。また、後で詳しく述べるように、戦後のアメリカの対中国政策の誤りの最大の責任者は、直接的にはジョージ・マーシャル（George Marshall、１８８０～１９５９年）である。しかし、マーシャルがワシントンの中枢で活躍するようになったのは、後にやや詳しく述べるように、１９３９年９月、ＦＤＲ大統領が、驚愕の人事で、ジョージ・マーシャルを陸軍参謀総長に大抜擢してからのことである。

再論「誰が中国を失ったのか？」

「誰が中国を失ったのか？」（Who Lost China ?）というのは古くからのテーマであるが、今日、モンスターのような存在になった中国が国際秩序にとって最大の脅威になっているわけであり、再びクローズ・アップすべき極めて重要なテーマである。われわれ西側の自由主義諸国とすれば、直接的な要因だけでなく、根因にまで遡って「誰が中国を失ったのか？」、その失敗の原因を明らかにすることにより、今後に向けた正しい教訓を得なければならない。

中国共産党が中国を支配することになった直後から、当然のことながら、「誰が中国を失ったのか？」という責任を追及する声がアメリカ国内で高まった。象徴的には、1950年2月7日の演説の中で、ウィスコンシン州選出の共和党上院議員ジョーゼフ・マッカーシー（Josef McCarthy、1908~1957年、48歳没）が、国務省内にいる共産党員やスパイの205名のリストを持っているとして、アチソン国務長官を非難したことをきっかけに大きな動きになった。当然のことながら、マッカーシーが一番問題にしていたのは、前国務長官のジョージ・マーシャルであったが、当時、現職の国務長官はアチソンであったので、まず初めに批判の対象にしたに過ぎない。実際、マッカーシーは、1951年に、『アメリカの勝利からの退却：ジョージ・キャットレット・マーシャル』（McCarthy［1951］）と題するマーシャルを厳しく批判する著書を上梓している。その後、いわゆるマッカーシー旋風（McCarthyism）となり、上院の政府活動委員会常設調査小委員会（PSI、委員長＝マッカーシー）、下院非米活動委員会、上院内部安全小委員会などで、次々にスパイの追及が行われた。この運動は一時期、多くのアメリカ国民から喝采を浴びた。

日本では、マッカーシーイズムを言論封殺の偏った赤狩りだとして非難する向きが多いようであるが、アメリカはこの時、むしろもう少し徹底しておいた方が良かったのではないかというのが、私の率直な印象である。確かに、マッカーシーのやり方は強引だったために反発も大きく、1954年12月2日、彼はとうとう議会上院から譴責処分決議をされて事実上、失脚した。この譴責決議は民主党中心に行われたものであるが、同じ民主党でも後に大統領となるジョン・F・ケネディ（当時上院議員）や弟のロバート・ケネディ（当時マッカーシーが委員長のPSIの下級法律顧問）は、マッカーシーの活動をかなり強く支持していたことが知られている。また、その後ほどなくして、1957年5月、マッカーシー自身が48歳で病没したこともあり、マッカーシーイズムはそれほど徹底されなかった。

しかし今日では、アメリカ、ロシア、イギリスのいくつものソース★(32)から各種機密文書の公開や情報リークがかなり進んでおり、戦時中スパイだったと疑われる人の数は、当時マッカーシーが把握していた数字を遥かに上回っている。換言すれば、情報の公開が進んでいなかったこともあるが、マッカーシーイズムでの摘発は甚(はなは)だ不十分だったということである。

ただし、この運動はマッカーシーが活動した5年弱で終わったわけではなく、その前後にもあったわけで、ジョージ・ケナンも言うように、マッカーシーイズムという名称は余り適切なものとは言えないかもしれない（ケナン［2017（1972）c］, pp. 294-295）。１９４９年８月、ディーン・アチソン国務長官は、全１，０５４ページに及ぶ『中国白書1944-1949年』（United States Relationship with China, with Special Reference to the Period 1944-1949）を発行した。これは、中国の共産化を防ぐために米国ができることは余りなかったという趣旨のものであり、中国の国共内戦での共産軍の勝利の可能性が高まる中で巻き起こってきた政府批判に反論するための言い訳であった。しかし、これは、政府の意図とは反対に、かえって火に油を注ぐ結果となった。

また、アメリカの場合、第二次世界大戦が終了するまで、政府内にスパイがいたとして告発されたケースは聞いたことがない。それと異なり日本では、モスクワのコミンテルン配下のゾルゲ・グループ（the Sorge Espionage Ring）が日米戦争勃発直前に摘発され、リッヒャルト・ゾルゲと尾崎秀実(ほつみ)の２人とも１９４１年10月に、特高警察によって逮捕された。そして２人とも、終戦前、ロシア革命（ボリシェヴィキ革命）記念日の１９４４年11月７日に死刑執行された。

アメリカでは、終戦前にはこうしたことが一切なかったのであろう。今では、戦時中ルーズヴェルト政権内部には、ソ連のスパイが２００～３００名いたという説が有力なようである。だいぶ前は、ルーズヴェルト政権内に約１００名のスパイがいたと言われていた。しかし、１９９０年代に入ってから、米露英で機密情報の公開やリークが進んだことから人数がかなり増えてきたようである。実に恐ろしいことであるが、アメリカ政府内部では、第二次世界大戦が終了するまで少なくとも２００名前後のスターリンのスパイたちが野放しにされ、彼らは少なくとも長い目で見れば、ひたすらソ連や世界共産主義革命実現のために、直接的・間接的に日々、米国の戦争遂行に携わっていたに相違ない。

アメリカは、日中戦争中は援蔣ルートを通じて蔣介石に多大な支援を行っていたが、日本との終戦後は、蔣介石の国民政府に対して、軍事的・経済的支援をほとんど行わないようになる。そして、蔣介石に、国共合作を促し、共産党を取り込んだ形での中国統一を求め続けた。中国共産党の危険性を見抜けず、中共をあたかも一種の民主主義勢力であるかのようにとらえるという致命的な間違いを犯し続けた。その結果、中華人民共和国の誕生を許すことにつながった。

しかし、日本にも責任の一端はある。こちらは、日中戦争で日本軍が蔣介石の国府軍をかなり弱体化させたことが、戦後における人民解放軍の伸長を促したということがある。その意味で、日本も中華人民共和国の誕生に側面から加担してしまったということが言えよう。

このように、中華人民共和国は、アメリカと日本が作ってしまったようなものとも言える。しかしながら、後に詳しく述べるように、アメリカの罪の方が遥かに大きい。また、日本との終戦後、蒋介石を見捨てることになった米国の対中国政策を推進した中心人物は、間違いなくジョージ・マーシャル（George Marshall, １８８０〜１９５９年）その人であるが、また、そもそも彼を大抜擢したのは戦前のＦＤＲである。このように、戦中から戦後にかけて、米国の対中政策の途方もない大失敗は、20世紀最大級の愚行といえるのでないかと私は信じている、近現代史において焦点を当てるべき最重要テーマの一つであると理解している。

ジョージ・マーシャルの異例の人事

Ｇ・マーシャルは、戦前から戦後にかけて十数年間、要職を歴任し、重要政策に関与し続けたので、まず彼の経歴を確認しておきたい。陸軍准将だったマーシャルは、１９３８年7月、陸軍省の戦争計画部（War Plans Division）に配属され、その後、比較的すぐに少将となり戦争計画担当の副参謀総長に就任した。さらに、ＦＤＲ大統領から指名されて、１９３９年9月1日、陸軍少将から一気に大将に昇進し、それと同時に米陸軍参謀総長、すなわち米陸軍制服組のトップに就任した。

元・陸上自衛隊陸将の宗像久男によれば、これは、20人の中将と14人の先任少将を差し置いての大抜擢であり、わが国では絶対にありえない人事である。また、陸軍参謀総長の在任期間中は、マーシャルはソ連の参戦や日本本土進攻を唱えた強硬派として知られる★(33)。これは、アメリカでもほとんどあり得ないような驚愕の人事であり、カリスマ的というか、もっとはっきりいえば独裁的なＦＤＲ大統領ならではの極めて強引な人的配置である。ＦＤＲには、こうした人事が随所にみられる。

１９３９年9月、陸軍参謀総長に就任したマーシャルは、１９４５年11月18日まで、その職にとどまった。すなわち、彼はアメリカが第二次世界大戦に参戦していたすべての期間にわたって陸軍参謀総長の職にあった。その間、１９４４年12月、陸軍元帥に昇進した。

果たしてマーシャルは、異例中の異例で大抜擢をされるに足るような極めて有能な人物だったのであろうか？　マーシャルの出身大学は、州立ヴァージニア軍事大学であり、ウェスト・ポイント陸軍士官学校ではない。士官学校の出身者以外の人が、これほど高い地位に昇進するのは極めて異例である、しかも、マーシャルは陸軍のトップにまで上り詰めた。

われわれが名前を知っているような著名な米軍人は、みな士官学校卒業生である。例えばダグラス・マッカーサー陸軍元帥、ドゥワイト・アイゼンハウアー陸軍元帥、ジョージ・パットン陸軍大将、アルバート・ウェデマイヤー陸軍中将（退役後大将に昇進）、オマー・ブラッドレー陸軍元帥（統合参謀議長）、さらには現在の国防長官であるロイド・オースティン陸軍大将、彼らはみなウェスト・ポイントの出身者である。米海軍で言えば、チェスター・ニミッツ海軍元帥、ハズバンド・キンメル海軍大将は、いずれもアナポリス海軍士官学校の卒業生である。私は、特に学歴が大切だと考えているわけではなく、ＦＤＲの判断が如何に異例かつ強引なものであったのかを示すために、他の著名な将軍たちとマーシャルを比較したいという趣旨である。

マーシャルが学んだヴァージニア軍事大学は、上級軍事大学（Senior Military College, ＳＭＣ）というカテゴリーに属し、通常の大学と同様に、学生が授業料を支払わなければならない。それに対して、ウェスト・ポイント、アナポリス及び空軍の３軍の士官学校の場合、わが国の防衛大学校と同様に、全額奨学金が出ることに加え、学生に対して俸給も与えられる。

しかもマーシャルには佐官時代、軍人としての才覚に欠けるとして、大佐から少佐に降格された経験もある。第一次世界大戦の末期（１９１８年）、ヨーロッパ派遣軍総司令官ジョン・パーシング大将の副官として大佐になっていたが、大した軍功を立てることもなく、１９２０年７月、少佐に降格させられた。１９２０年代後半、中国・天津の米歩兵連隊勤務となり、３年間勤務し、その間、中国語の読み書きをある程度習得したようである。そして、１９３３年9月、再び大佐に復帰した（52歳）。少佐に降格されてから13年が経過していた。第二次世界大戦に従軍した上院議員のジョーゼフ・マッカーシー★(34)は、マーシャルの経歴について、「世界広しといえども、軍務経験が乏しいのに、最高位（米陸軍参謀総長）に上りつめた軍人はマーシャルだけである。マーシャルはたった一の実戦（the combat of a single one）を経験しただけだ」（McCarthy [1951], p.10）と述べている。

またマッカーシーは、昇進の遅さに業を煮やしたマーシャルがかつての上司であるパーシング大将に直訴して、当時、参謀総長だったダグラス・マッカーサーに掛け合ってもらったことを紹介している。マッカーサーは、マーシャルには軍歴が乏しいとされていたことから、陸軍精鋭部隊の一つであるジョージア州の第8連隊の司令官に任命した。しかし1年後、査察官の評価が悪かったために、マッカーサーはマーシャルを解任せざるを得なかった、と述べている（McCarthy [1951], p. 8)。

特に、同じ１８８０年生まれで、同じく陸軍元帥になったダグラス・マッカーサー（Douglas MacArthur，１８８０～１９６４年）と比べると、経歴が極めて対照的である、というよりも余りにも違い過ぎる。マッカーサーは、ウェスト・ポイント陸軍士官学校を首席で卒業し、44歳で少将、50歳で大将になると同時に陸軍参謀総長に昇進した。これらは、いずれも米陸軍史上最年少記録である。ちなみに、１９３０年の陸軍参謀総長への任命は、ルーズヴェルトの前任者であるハーバート・フーヴァー大統領によるものである。

以上のような50歳過ぎまでのマーシャルの軍歴を考えると、１９３９年のマーシャルの陸軍参謀総長への突然の大抜擢は、米陸軍の幹部のほとんど全員が腰を抜かすほどの驚きの人事だったに相違ない。信頼に足るべき種々の資料・情報及び分析から判断すると、ＦＤＲは真珠湾攻撃の遥か前の１９３９年に日本との戦争を決断したとみられるが、マーシャルは、対日戦争計画に積極的にかかわることで、ＦＤＲから大々抜擢されたものと思われる。

マーシャルの経歴についての記述をもう少し続けることにしたい。彼は陸軍参謀総長を退任した後、トゥルーマン大統領から中国特別全権特使の指名を受け、１９４５年12月20日から１９４７年１月６日まで重慶に滞在した。その後、１９４７年１月21日から１９４９年１月20日までは国務長官に就任し、さらに１９５０年９月21日から１９５１年９月12日までは、国防長官を務めるなど、閣僚も歴任した。

ジョージ・マーシャルの対中政策の決定的な誤り

マーシャルが国務長官時代に、対中国政策で決定的な間違いを犯したことは、文書の形で残っている。一番明白なのは、「ウェデマイヤー報告」（１９４７年９月）を握り潰したことであり、これは、マーシャルのトゥルーマン大統領あてのレターとして遺っている。ウェデマイヤー中将は、トゥルーマン大統領の訓令を受けて、計10名からなる視察団を組織し、１９４７年７月16日から同年９月18日まで、中国・朝鮮を訪問し、両国の政治・経済・軍事情勢の現状分析並びに将来の評価を行った。そして、帰国翌日の９月19日、大統領に「ウェデマイヤー報告書」を提出した。第１部から第４部にわたる報告書の全文が、ウェデマイヤーの回想録『第二次大戦に勝者なし（下）』に掲載されている（ウェデマイヤー［1997（1958）b］,pp.419-448）。

報告書の中国に関する趣旨は、このままでは共産党が中国全体を支配する可能性が高いが、しかしそれはアメリカの利益に反する。また、中共の中国支配をきっかけに、第三次世界大戦に突入する危険性すらある。したがって米国は、これまでのような国共合作を求める政策ではなく、蒋介石の国民政府の側を軍事的・経済的に支援するしかない、という趣旨のものであった。

しかし、中国共産党の危険性を見抜けない国務長官のマーシャルは、この報告書の内容が気に入らず、9月25日、大統領あてに書簡を送り、「ウェデマイヤー報告」を極秘扱いとして、公表を禁止するよう進言し、そして大統領もそれに「同意」すると署名入りで決裁してしまった（ウェデマイヤー［1997（1958）b］.pp. 398-399）。このため、ウェデマイヤーの大変意義深い報告書は、遂に生かされることはなかった★(35)。

ウェデマイヤーは、マーシャルに見いだされた面があることから、自身の回顧録で、自分とは考え方は違うがとしながらも、ことあるごとにマーシャルの人となりを称（たた）えている。しかし、対中政策におけるマーシャルの過失を以下のように厳しく指摘している。

マーシャルは、国民政府と中国共産党を、互いに勢力争いをする2つの党派に過ぎないと考え、蒋介石に共産主義者との妥協を強要するために、1946年から1947年にかけて、国民政府に対する武器、弾薬の補給を全面的に禁止した（ウェデマイヤー［1997（1958）b］.p. 283）。マーシャルは、1947年1月7日の声明の中で、「共産主義者の中には、近い将来における共産主義的イデオロギーを確立するための残忍な手段よりも、中国国民の利益を重視する自由主義的なグループがいる」と主張した（ウェデマイヤー［1997（1958）b］,p.284、傍線は筆者によるもの）。

このようにマーシャルは、共産主義、特に中国の共産主義者の本質と目的を理解していなかったように思われる（ウェデマイヤー［1997（1958）b］, pp. 283-284）。その一方で、マーシャルは、共産主義者の勢力を排除するために、ギリシャに対しては4億ドルを援助するよう勧告した（ウェデマイヤー［1997（1958）b］.p. 287）。

実際、米国はまさにこの時期、ソ連封じ込めを謳った「トゥルーマン・ドクトリン」（1947年3月12日）で、ギリシャに対する4億ドルの援助を決定した。完全にチグハグな外交政策と言うしかない。延安の中国共産党はソ連の支援を受け、他方、重慶の国民政府はアメリカの支援を受けていた。すなわち、当時の国共内戦も、実質的には米ソの代理戦争だったともいえる。しかし、マーシャルをはじめとするワシントンの中枢は、中国の共産主義者は一般の共産主義者と違うとでも考えていたかのようである。愚かしい限りである。マーシャルは、周恩来をとても気に入っていたようで、周囲の人の中には、「マーシャルは周恩来に恋をしていた」と例える人もいるほどである。

それと異なり、ウェデマイヤーはある日（おそらく1945年のある日）、重慶の自分の宿舎に、毛沢東と周恩来の訪問を受けたが、その際、共産主義について大議論になったことを詳しく回顧録に記していて大変興味深い（ウェデマイヤー［1997（1958）b］.pp. 124-127）。

中国の共産主義者は、真のマルクス主義者ではなく中国人民の福祉を願う単なる土地制度の改革者に過ぎないとの考えが、当時のアメリカでは広く宣伝されていたそうであるが、この時の議論で、そうではないことが明らかになったとしている。会議は無論、通訳付きで行われたが、ウェデマイヤーは周とは英語で話していた。しかし、途中で議論が非常に白熱し、周は思わず中国語で話し始めた。さらに、そこに毛が中国語で割って入り、通訳させ、「中国革命は、帝国主義、封建主義、資本主義に対する世界革命の一環である」との本音を吐露したとのことである。ウェデマイヤーはこの時、議論で毛と周を少なからず怒らせることによって、彼らから本音を引き出すことに成功し、彼らが、ソ連など他の国の共産主義者と基本的に変わらないことを明らかにしたということであろう。

当時のアメリカ政府の中で、対中政策の過誤を直接的に牽引した中心人物はマーシャルに間違いないが、彼ばかりでなく、中国共産党の本質を理解できないでいた米高官はほかにもたくさんおり、むしろウェデマイヤーの方が少数派だったのであろう。トゥルーマン大統領は、１９４５年12月15日の声明の中で、「共産主義者を中国政府の中に入れるべきである」と語った（ウェデマイヤー［1997（1958）b］.p.287）。さらに、１９４８年3月の時点になっても、記者会見などで質問されたトゥルーマンもマーシャルも、依然それがアメリカの政策であると答えている。

ウェデマイヤーは回想録で、トゥルーマン大統領に加え、戦中から戦後にかけて、国務次官や国務長官（マーシャルの後任）を務めたディーン・アチソン（Dean Acheson, １８９３～１９７１年）★(36)、中国方面アメリカ司令官として自分の前任者であったジョーゼフ・スティルウェル将軍、ウェデマイヤーと同時期に重慶で勤務した駐華アメリカ大使のパトリック・ハーレー（陸軍少将）★(37)などを厳しく批判している。いずれも、基本的には、共産主義というものに対する全般的な認識不足もしくは容共姿勢が強過ぎるという批判である。

イギリス生まれで、若い頃、共産主義者であったがその後転向し、アメリカに渡って共産主義の危険性を熱心に説いたフリーダ・アトリー博士（Freda Utley, １８９８～１９７８年）は、彼女の著書『アトリーのチャイナ・ストーリー』（１９５１年）の中で、中国に赴任した米国の軍人や外交官の多くがどのようにして中国共産党に騙されていったのか、その様子を詳しく描いていて興味深い（アトリー［1993（1951）］）。アメリカ人ジャーナリストで、多数のアメリカ人を親共産主義者にする上で大きな影響力をもったエドガー・スノウ（Edgar Snow, １９０５～１９７２年）は、終戦直後の１９４６年春に来日した際、時事通信社との単独会見で、「日本人の根強い国家主義とソ連に対する恐怖心が日本共産党に不利に作用する可能性がある」と述べている（公安調査庁［2002］,p. 44）。多くのアメリカ人を共産主義者に教化した「実績」のあるスノウとしては、日本人よりアメリカ人の方が遥かに共産主義者に教化しやすいと実感していたのであろう。

国府軍と共産軍の両方と接触を持った経験のあるアメリカ人の多くは、共産軍が規律正しいのに対し、国府軍・国民政府は腐敗しているとの印象を持ったことは事実のようであるが、日中戦争中、国民政府を徹底的に支援したからこそ日中戦争が長引いたわけであり、アメリカは日中戦争終了後も、しっかり国府軍を支援すべきだったのではないだろうか。

中共に騙されなかった将軍アルバート・ウェデマイヤー

ここで、アルバート・ウェデマイヤー（Albert Wedemeyer, 1897〜1989年）の経歴について紹介しておきたい。彼はドイツ系アメリカ人★(38)であり、1919年に、ウェスト・ポント陸軍士官学校を卒業した。彼は、1936年から1938年まで、プロシア陸軍大学校に留学し、その間、ナチスの最高幹部であるヘルマン・ゲーリンク（国家元帥）やマーティン・ボーマン（ヒトラーの側近でナチ党官房長）らの知遇を得る。

第二次世界大戦が勃発した後、1939年、ドイツ軍の最新事情に詳しく、中佐となっていたウェデマイヤーは、義父で陸軍省戦争計画部（War Plans Division）の幹部だったスタンリー・エンビック中将の後ろ盾もあり、陸軍省戦争計画部のスタッフとなり、以後、軍の中枢で活躍した。1941年、対独戦争計画である「勝利計画」（Victory Program）が作成されたが、その中心人物となった。また、後の「ノルマンディー上陸作戦」に発展した計画も、大筋でウェデマイヤーが計画したものである。さらに、連合国の重要な会談であるカサブランカ会談（１９４３年1月）、ケベック会談（１９４３年8月）、カイロ会談（１９４３年11月）にも参加した（ウェデマイヤー［1997（1958）b］,p.123）。すでに述べたように、ウェデマイヤーは、１９４４年10月31日、中国方面アメリカ軍司令官として重慶に赴任するが、その前までの略歴は概ね以上の通りである。

ところで、ウェデマイヤーが１９４４年10月末、重慶に赴任した際の道中での面白いエピソードをご紹介しておきたい。彼はニューデリーからインド北東部のアッサム地方を経由して、まず中国雲南省の昆明飛行場に到着した。その後、昆明から重慶に飛んだわけである。昆明に着いたのは１９４４年10月30日であるが、その際、「この昆明飛行場はヒマラヤ空輸のため、ニューヨークのラガーディア空港よりも忙しい」と聞かされた、と述べている（ウェデマイヤー［1997（1958）b］,p.107）。ウェデマイヤーが、重慶に赴任する途次、昆明を訪れたのは、無論まだ日中戦争のさなかであり、昆明の飛行場が当時それほど忙しかったのは、連合国の援蔣ルートを通じた輸送が非常に頻繁であったからに違いない。

米英露の３カ国は、日中戦争中、援蔣ルートを通じて蔣介石に対する多大な支援をしてきた。日中戦争が長引いた理由は、まさにそこにある。援蔣ルートには、香港ルート、仏印ルート、ソ連ルート、ビルマ・ルートの４つがあったが、日本軍が閉鎖に成功したことなどから、このころ機能していたのはこのヒマラヤ山脈越えのビルマ・ルートだけであった。より具体的には、インド北東部アッサムのディンジャン（Dinjan）からビルマ北部上空を通過して昆明に至る空路である。このルートは、ヒマラヤの山越えのため、ハンプ・ルート（the Hump Air Route）★[39]と呼ばれた。いずれにせよ、ウェデマイヤーは、まさにこのかなり危険なヒマラヤ越えのハンプ・ルートで中国入りしたわけである。

マーシャルの対中政策上の過誤に最後の止め(とど)を刺したエピソードをご紹介しておきたい。彼は、１９４６年から、国府軍に対する武器と弾薬の供与を停止したが、加えて、蒋介石が懇願した軍事的助言の供与も拒否した。１９４８年4月3日、米国議会は、「１９４８年対外援助法」を成立させ、その第4編の「中国援助法」で、蒋介石に対する1億2千8百万ドル相当の武器援助を決めた。しかしマーシャルは、不当にもそれさえも同年11月まで止(と)めた。

蒋介石

この間、共産軍側の動きはどうかと言うと、１９４７年9月20日、国府軍に対して、「人民解放軍総反抗宣言」を出した。なお、「人民解放軍」という言葉が使われたのは、この時が初めてである。１９４８年9月から１９４９年1月にかけての三大戦役（遼瀋(りょうしん)戦役、淮海(わいかい)戦役、平津(へいしん)戦役）で、人民解放軍は、米国からの支援を実質的に受けられなかった国府軍に対していずれも勝利を収め、中国全土の支配を確立した。そして、１９４９年

10月1日、中華人民共和国が誕生し、中華民国の国民政府は同年12月7日、台北に遷都した。1927年7月から始まった第一次国共内戦から数えると、22年が経過していた。

マーシャルといえば、「マーシャル・プラン」★⑽が有名である。アメリカ史上屈指の成功を収めた外交政策としてみなされ、マーシャルは、それに功績があったとして、1953年にノーベル平和賞を受賞した。マーシャルは1947年4月28日、モスクワでの4カ国外相会議（米ソ英仏）から帰国し、西ヨーロッパの苦境の深刻化・緊迫化に動顛(どうてん)するとともに、欧州の復興にソ連の協力が期待できないことに落胆し、直ちにジョージ・ケナンに、長官直属の国務省政策企画室(Office of Policy Planning Staff, PPS)の立ち上げと欧州復興計画の策定を命じた（ケナン[2017(1972) b].pp. 129-130)。その意味で、マーシャルは「マーシャル・プラン」の作成にリーダーシップを取ったと言える。しかし私に言わせれば、マーシャルは、すでにその前月の12日に、「トゥルーマン・ドクトリン」で、米国は「対ソ封じ込め」を発表していたわけであり、その後になっても、ソ連に欧州復興について協力してもらえると考えること自体、マーシャルの判断は余りにも甘すぎたのではないだろうか。

「マーシャル・プラン」は実質的には、国務省政策企画室長のジョージ・ケナンと初代経済担当国務次官のウィリアム・クレイトンの2人の役割に大きく依存したものである。設立されたばかりのケナンが率いる国務長官直結の政策企画室（PPS）は、1947年5月23日、「アメリカの西ヨーロッパ援助に関する政策――政策企画室の見解」（ＰＰＳ１）と題する最初の報告書を作成した。また、クレイトン国務次官は、約1カ月にわたるヨーロッパ経済視察の結果を、同年5月27日、「ヨーロッパの危機」と題するクレイトンの覚書としてまとめた。これら２つの文書をベースに、「マーシャル・プラン」がまとめられたのである。

究極的にはルーズヴェルトの途方もない失敗

以上見てきたように、戦後、共産党が中国を支配するようになったのは、明らかにアメリカの対中国政策の途方もなく大きな誤りである。そして、直接の総責任者はジョージ・マーシャル元帥であるが、蒋介石の強い反対を押し切って、延安にディクシー・ミッションを派遣したのはフランクリン・ルーズヴェルト大統領（ＦＤＲ）である。それも、強く反対する蒋介石から無理やりに了解を取り付けるために、副大統領のヘンリー・ウォーレスを戦地の重慶に派遣してまで実現にこぎつけたのである。また、そもそもマーシャルを異例中の異例で大抜擢をしたのもＦＤＲである。

ＦＤＲがディクシー・ミッションの派遣を模索し始めたのは、１９４３年末もしくは１９４４年初めと思われるが、その少し前に彼は、中国を世界の４大国に入れることを画策し始めた。具体的な形で初めて明らかになったのは、１９４３年8月の第一次ケベック会談（ルーズヴェルト

&チャーチル）の折、コーデル・ハル国務長官から英国のアンソニー・イーデン外相に対して、初めてそのアイディアが伝えられた。米国務省の文書には、英国側は反対していたとの記録も残されているが、とにかく、同年11月1日の第3回モスクワ会談（米英ソ3国の外相会談）で、「モスクワ宣言」とともに「四国宣言」（the Four Power Declaration）が採択された。ここでいう4大国とは、米英ソ中のことであり、このとき初めて中華民国は世界の「大国」とされた。

その頃、中国を代表していた蔣介石の国民政府は弱体であり、とても世界の大国といえるような存在ではなかったが、FDRは自説を押し通した。この4大国は、戦後を見すえ、いずれ世界全体に対する勢力範囲（Sphere of Influence）をこの4大国で分担しようという狙いであった。ここにも、FDRのソ連と共産主義に対する警戒心の薄さ及び中国に対する過大評価が表れている。こうしたことも、その直後から米国が国民政府に中国共産党との国共合作を強く促す背景になったものと思われる。そのようなFDRの一連の対中国政策に関する思い入れが、ディクシー・ミッションの派遣につながったと考えてよいであろう。

このように見てくると、アメリカの対中国政策の途方もなく大きな誤りの根因は、FDRその人に間違いないというのが、いまや私の確信である。これは、20世紀最大級の愚行と言って差し支えないのではないだろうか。FDRが犯した巨大な過誤によって誕生した中華人民共和国が、いまやモンスターのような存在となり、自由主義世界に住むわれわれにとって最大の脅威となってのしかかっているのである。今後の教訓とするためにも、そうした認識をしかと持ち、国際社会にも訴えかけていくことが極めて重要である。換言すれば、言論で国際的に告発すべしということである。いまのアメリカ社会で、そうした認識はあるのだろうか？　広く認識されていないとすれば、なおのことわれわれは、ＦＤＲの途方もなく大きな過誤（“a colossal mistake”）をきちんと指摘しなければならない。

★(32) 例えば、イギリスからは１９９０年代後半に、マスク文書とイスコット文書が公開され、アメリカからはヴェノーナ文書（１９９５年）、ロシアからはリッツキドニー文書（１９９１年）、ヴァシリエフ・ノート（２００９年）、およびミトローヒン文書（２０１４年）がそれぞれ公開されている（山内智恵子［2020］p. 18）。

★(33) 宗像久男、「我が国の歴史を振り返る（65）―中国共産党政権誕生〝秘話〟」、２０２１年１月１日、戦略検討フォーラムＨＰ

★(34) マッカーシーは、兵役免除が受けられる立場にあったにもかかわらず、海兵隊大尉として、１９４１年に第二次世界大戦に参戦した。

★(35) なお、「ウェデマイヤー報告」は、のちに、１９４９年８月に発行された国務省の『中国白書 1944-1949』の付属資料の一つとして掲載された（ウェデマイヤー［1997（1958）b］p. 319）。しかし、この頃、国共内戦は人民解放軍の勝利が確定しており、手遅れも甚だしい。これより先、同年４月24日、人民解放軍は、国民政府の首都である南京に入城を果たした。さらに、同年10月１日には中華人民共和国が正式に誕生した。

★(36) 国務長官時代の１９５０年１月、演説でアメリカは西太平洋における不後退防衛線として「アチソン・ライン」を表明したが、これには、朝鮮や台湾が含まれていなかったことから、朝鮮戦争（１９５０年６月～１９５３年７月）の誘因となったと批判された。

★（37）ハーレーは、ＦＤＲ大統領から全幅の信頼と信任を勝ち得ており、長年、ＦＤＲの補佐官を務めていた（ウェデマイヤー［1997（1958）b］p. 156）。

★（38）彼の名は、ドイツ語読みでは、おそらくアルバート・ヴェーデマイヤー。

★（39）ヒマラヤの山のコブ（hump）の上空をいくつも越えるので、ハンプ・ルート（ハンプ空路）と呼ばれるようになったものと思われる。なお、１９４５年1月、米軍が、アッサムのレド（Ledo）から昆明に至るヒマラヤを越える曲がりくねった山岳道路を建設したため、それ以降は、この「レド公路」が、ビルマ・ルートの中心となる。

★（40）正式名称は、「欧州復興計画」（European Recovery Program, ＥＲＰ）という。

第4節　占領初期におけるGHQの左翼的政策の弊害

なお、ここで注目すべきは、初期のGHQは左翼的な思想の人たちが非常に大きな権力を振るったことである。GHQ内で絶大な権限を振るった民政局次長のチャールズ・ケイディス大佐は、かなり強い左翼思想の持ち主として知られるが、ハーバート・ノーマンは、ケイディスの右腕として活躍した。ノーマンは、反共産主義のマッカーシーイズム（McCarthyism）の時代（1948〜1954年）★(41)、カナダ政府から共産主義者の疑いをかけられ、数回にわたって尋問されている。さらに、1957年、米上院でノーマンが共産主義者★(42)でソ連のスパイであるとの疑惑がかけられたとすでに述べたが、これは2014年7月、イギリス国立公文書館が所蔵するMI5（英国情報局保安部）の「共産主義者とその共鳴者」と名付けられたカテゴリーの中にある秘密文書「ノーマン・ファイル」（KV2/3261）から発見された資料を根拠としたものである。

このように、特に初期のGHQでは、共産主義者もしくはその強固な共鳴者が重要なポストを占めていた。占領政策の少なくとも当初の目的は、とにかく日本を弱体化させることにあったから、共産主義者のやり方は基本的にはそれに沿ったものでもあったろう。この時期、ＧＨＱでマッカーサーの側近で反共主義者のボナー・フェラーズ（Bonner Fellers, １８９６～１９７３年）★(43)と共和党の元米国大統領ハーバート・フーヴァー（Herbert Hoover, １８７４～１９６４年）――フランクリン・ルーズヴェルトの前任者――との２人の間で交わされた書簡がアイオア州にあるフーヴァー大統領図書館に所蔵されており、非常に興味深い内容である。フェラーズは、フーヴァー宛ての１９４５年10月３日付の手紙で、「ソ連は、日本で流血の革命を起こそうとしています。彼らにとってはいかなる安定要素もタブーなのです」と述べている（東野真［1998］, p. 145）。これに対するフーヴァーからの10月15付返信は、「国務省から日本に送られている人間の中には、元共産党員や共産党のシンパがいる」と述べ、フェラーズに注意を喚起している（東野真［1998］, p.145）。

実はＧＨＱの内部には様々な人間がおり、かなり複雑であるが、大きく分けるとすれば、考え方の異なる２つのグループが対立していた。一方は、基本的には、フィリピン時代からマッカーサーに付き従ってきた軍の参謀たちであり、彼らは概ねマッカーサーと同じように反共的な保守主義者であった。彼らは、「バターン・ボーイズ」（Bataan Boyes）もしくは「バターン・マフィア」（Bataan Mafia）と呼ばれた。このグループの中心人物は、参謀第２部（Ｇ２）部長で反共主義者のチャールズ・ウィロビー（Charles Willoughby）少将である。他方、ワシントンＤ．Ｃ．

から送られてきた連中は「ニュー・ディーラー」(New Dealers)で、左翼的な思想の持ち主が多く、中には共産主義者もいた。このグループの中心人物は、民政局(GS)局長のコートニー・ホイットニー(Courtney Whitney)准将、民政局次長のチャールズ・ケイディス(Charles Kades, 1906〜1996年)大佐である。実はホイットニーは、「バターン・ボーイズ」の一員であったが、ケイディスとはかなりウマが合ったようである。GHQの部局で言えば、基本的には、「容共派」の部局は民政局(GS)、民間情報教育局(CIE)、経済科学局(ESS)などであり、他方、「反共派」の部局は、参謀第2部(G2)、対敵諜報部(CIC)、外交局(DS)などであった。

ここで、日本を弱体化させるためにワシントンからわざわざ左翼的な人間を選んで送りこんできたのではないかとの憶測する向きもあるかもしれないが、おそらくそうではなくて、当時は米政府の中にも外にも共産主義的な思想の人間は別に珍しくなかったということではないだろうか。ロシア革命からまだ30年も経っていなかったので、アメリカだけでなく、日本にも、ヨーロッパにもあるいはほかのどこにも、共産主義や社会主義に期待する人々が少なからずいたということのようである。共産主義に対する幻滅は、当時は世界的にもまだ余り広がっていなかった。

それどころか、元・駐タイ日本大使の岡崎久彦(1930〜2014年)によれば、熱戦終了の翌年である昭和21年(1946年)は、まるで革命前夜を思わせるような一年間であったと述べ、吉田茂（1878〜1967年）は「（第一次吉田内閣は）赤旗に囲まれ、革命歌の裡に組織したと言っても過言ではない」としている（岡崎［2002］,p.246）。また、吉田は遊説の先々で共産党員の実力による妨害に遭って、武装したMP（米軍憲兵）の護衛がなければ身動きもままならない状況であったという。

GHQには共産主義者もいたが、GHQ全体としては、思想的に共産主義に共鳴していたわけではなく、お互いに、いわば「ギブ&テイク」で利用していたと考えてよいようである。GHQにとっては、日本の専制勢力を弱体化させ、社会の民主化を推進するための梃として共産党を利用し、他方、共産党はGHQを「解放軍」として利用していた（公安調査庁［2002］,p. 40-46）。ただし、共産党とGHQの日本社会に対する捉え方は、かなり似ているところがあった。日本共産党が依拠していたコミンテルンの1932年テーゼでは、日本社会を「家父長的封建社会」と捉えていたのに対し、GHQ、特にマッカーサーは、「封建的軍事国家」と捉えていた（公安調査庁［2002］,pp. 46-47）。

具眼の外交官ジョージ・ケナン

GHQの左翼的な政策に危機感を抱いた米国務省は、政策企画室長のジョージ・ケナン（George Kenan, 1904〜2005年）を日本に派遣することにし、ケナンは1948年3月1日に来日した。当時のGHQと国務省との関係についてケナンは、「(マッカーサーは) 国務省の助言に耳を貸そうともしない」(ケナン [2017 (1972) b], p.204) とか、「疎遠になり、不信感に満ちていた」と述べている (ケナン [2017 (1972) b], p.223)。さらに、「マーシャル元帥 (国務長官) とマッカーサー元帥との (両陸軍元帥の) 関係は疎遠であり、私の見るところでは温かく感じるものがなかった」(ケナン [2017 (1972) b], p.223) と述べている。このような雰囲気の中で、ケナンは来日したわけであるが、来日前ケナンは、当時の日本の占領政策の現状について、以下のように非常に深く懸念していた。

その時までにマッカーサー総司令部が遂行してきた占領政策の本質は、ざっと見るだけでも、日本の社会を共産主義の政治的圧迫に対抗できないほどに弱いものとし、共産主義者の政権奪取への道を開くことを目的にして立てられた政策の見本のようなものでしかないのがわかった。(ケナン [2017 (1972) b], p.214)

マッカーサーは元々、明らかに反共・保守の人であったが、日本の占領初期に、GHQ政策の左傾化をある程度容認したことは間違いない。これにはいくつかの背景が考えられる。第1に、11カ国の代表からなる連合国の最高意思決定機関である極東委員会 (the Far Eastern

Commission, 本部＝ワシントン）の意向を気にかける必要があったこと。第2に、日本社会の民主化のためには共産主義者を利用した方が都合のよい面があること。第3に、日本共産党がソ連と余り親密にならないように牽制しておきたかったということ。第4に、１９４８年11月の大統領選挙に、共和党からの自らの出馬を念頭に置いていたこと。加えて第5に、左翼が一掃された場合、軍国主義者が復活し、それに対する国民の反発が高まり、その結果、選挙における左翼の躍進をかえって助長するのではないかとの懸念もあること、なども考えたのではないだろうか。

右記第４の大統領選挙との関連をどのように考えるかというと、例えば日本で大量の公職追放をやると、ＧＨＱに対する米国民の支持率が高まるという傾向があった。すなわち、日本で厳しい政策をとると、マッカーサーの本来の支持基盤ではないような米国内の左翼――米国ではこれを「リベラル」という独特な呼び方をするが――からの受けが良かったのである。

ケナンが特に問題にしたＧＨＱの政策は、行き過ぎた公職追放と教職追放、さらには異常なほどの熱心さで行われようとしていた財閥解体であった。日本社会の発展になくてはならない人々が大量に追放されたが、これは全体主義国家を除けば、余り前例のないことであった（ケナン［2017（1972）b］,pp. 232-233）。２６０の企業が「経済力の不当集中」と指定されたが、これは、イデオロギー的には「資本主義的独占」の害悪に関するソヴィエトの観念と全く似たものであった（ケナン［2017（1972）b］,p. 232）。

SCAP（GHQ）は当時、8万7千人の兵員と3，500人の文官スタッフを日本に駐留させていた。加えて、占領軍の基地に日本側が配置しなければならない日本人従業員は数十万人を数えていた。その結果、占領軍は必要経費として日本の国家予算の3分の1を消費しており、厄介な占領軍当局は、多くの点で寄生虫的存在であった（ケナン［2017（1972）b］、pp. 230-231）。つまり日本は国家予算の3分の1――実際には一時はそれをやや上回っていた――をGHQに献上し、しかもそれで、自分たち国民の頭の中を、彼らによってすっかり洗脳されてしまったわけである。こんな割の合わないというか、理不尽なことがあってよいものであろうか。

ケナンは、マッカーサーと長時間面談し、マッカーサーが気にかけていた極東委員会のGHQに対する諮問（しもん）権限について取り上げ、ポツダム宣言では、日本の非軍事化と一部領土の行政権限放棄を規定しているだけであり、それらについてはすでに遂行済みである。したがって、いま求められている日本の経済復興と極東地域の安定と繁栄に建設的な寄与をするための日本の能力の回復といった点については、マッカーサーは極東委員会の諮問を受ける必要がないと伝えた。以上のロジックは、元帥を大いに喜ばせ、膝を叩いて頷（うなず）いたほどだった。こうしてケナンは、マッカーサーと心と心を結び合うことができたと述べている（ケナン［2017（1972）b］.pp. 228- 229）。

ケナンはワシントンに帰国後、公職追放の緩和、経済力集中排除法の再検討、日本の政治的自立、占領軍経費の縮小に努力することなどについて献策する報告書「アメリカの対日政策に関する勧告」（PPS 28）をまとめ、マーシャル国務長官に提出した。この報告書は、若干の修正を経た上で、同年10月7日、国家安全保障会議（ＮＳＣ）で承認され（NSC 13/2）、その後、大統領の裁可も受けた。一言でいえば、改革から経済復興に重点を移すべきという趣旨である（ケナン［2017（1972）b］,p. 236）。ケナンは、ＧＨＱ政策の変更に寄与できたことに大変満足して、回顧録で以下のように述べている。

私がマッカーサー元帥を訪ね、会談し、最後にはワシントンから指令が発せられたこと、これらが一体となって、１９４８年末から１９４９年初めにかけて行われた占領政策の改革に大きく寄与した。そして、この変革をもたらした私の役割は、マーシャル・プラン以降私が政治上果たすことができた最も有意義な、建設的な寄与であったと考えている。私はこれまで、このような大きな規模と重要性を持った献策を試みたことはかつてなかった。そして、私の献策がこのように広く、ほとんど完全と言えるくらいに受け入れられたこともかつてなかった。（ケナン［2017（1972）b］,pp. 239-240）

ところで、ケナンは１００歳を超えるまで長生きした人であるが、晩年の１９９７年2月5日付の『ニューヨーク・タイムズ』紙に、「ＮＡＴＯの東方拡大は致命的な失敗になる」と語っている。

2022年2月24日から始まったウクライナ戦争を予言したような発言であり、私は、これを、東西冷戦終了後の勝者の愚行となる可能性を警告したものではないかと受け止めている。パリ講和会議に失望して、『講和の経済的帰結』（1918年）を書き、第二次世界大戦の発生を警告したジョン・メイナード・ケインズの再来のように思えてならない。ケインズの警告も、およそ80年後のケナンの警告も受け入れられることなく、いずれの場合も、「勝者の愚行」が次の戦争を引き起こしたということではないだろうか★(44)。

GHQ政策の「右旋回」

ただし、GHQの「右旋回」については、民間の保守系親日アメリカ人の役割も大きかった。特に、1948年6月にニューヨークに発足したアメリカ対日協議会（American Council on Japan, ACJ）と『ニューズ・ウィーク』誌が大きな役割を果たした。アメリカ対日協議会は、戦前、長年東京で弁護士をしていたジェイムズ・カウフマン（James Kauffman）が発起人であるが、ジョーゼフ・グルー（Joseph Grew, 1880～1965年）、ウィリアム・キャッスルの両元駐日大使が名誉会長になっている。1946年7月、『ニューズ・ウィーク』誌の東京支局長のコンプトン・パッケナム（Compton Pakenham）は、同誌の外交担当編集者のハリー・カーン宛てに書簡を送り、GHQの政策が共産党を野放しにしていることを強く懸念し、「日本の占領は失敗に次ぐ失敗であったことは疑問の余地はない」と述べた。その後、パッケナムは、カーンの支持を得て、占領政策を批判する記事を相次いで同誌に載せた（岡崎［2002］.pp. 259-260）。マッカーサーは、パッケナムを、好ましからざる人物と呼んだほどである。

他方、ＧＥやＲＣＡなどの米国の一流企業をクライアントに持つ弁護士のＪ・カウフマンは、日本におけるビジネスの可能性調査のために、１９４７年8月来日した。そして、財閥解体に関する極東委員会の極秘文書（FEC 230）を入手し、これを徹底的に批判する報告書（「カウフマン・リポート」）を作成した。「こんなことをして、全産業を細々と切り裂き、しかも労働組合を甘やかしていては、アメリカのビジネスの日本での活動は不可能となり、共産主義に対する〈極東の砦〉たる日本の潜在的な能力を損なってしまう」というのが、彼の趣旨であった（岡崎［2002］.p. 260）。その上で岡崎久彦は以下のように指摘し、ＧＨＱ政策の「右旋回」に、民間の力もかなり大きく貢献したと述べている。

この報告は、ワシントン当局に大きな衝撃を与えたという。第二次大戦の延長線上での日本懲罰論とニュー・ディーラーたちの日本改造論とに立って、現実のアメリカの利益とは無関係に惰性的に行ってきた占領政策について、カウフマンはアメリカのビジネスの立場という、アメリカでは誰も抵抗できない立場から批判し、そのうえに対冷戦政策に大失敗をもたらす恐れを指摘したのである。（岡崎［2002］,pp.260-261）。

ＧＨＱの「右旋回」の時期については、その先駆けとなったのは、１９４６年5月15日のＧＨＱ外交部長ジョージ・アッチソンの対日理事会（本部＝東京）における発言「われわれ占領軍は共産主義を歓迎するものではない」であろう。この同じ時期に、おそらくその関連で、アッチソンの直属の部下で親共産主義者とみられるジョン・エマーソンがワシントンに帰任したことについてはすでに述べた。さらに、１９４７年2月1日、日本共産党主催の「2・1ゼネスト」に対して、前日の1月31日に、マッカーサーがついに伝家の宝刀を抜いて禁止措置に出たことが「右旋回」の具体的前兆となった。１９４８年1月6日、ケネス・ロイヤル（Kenneth Royall）米陸軍長官は、「極東における全体主義の防塁としての役割を日本に望む」と、サン・フランシスコで演説した。さらに、１９４８年6月下旬、昭和電工贈収賄事件が表面化し、その関連で、民政局のチャールズ・ケイディスが事実上失脚し、同年12月8日、離任・帰国した★(45)。

同年6月25日、共和党の大統領候補を決める共和党全国大会（於・フィラデルフィア）において、マッカーサーが、ニューヨーク州知事のトーマス・デューウィ（Thomas Dewey）に惨敗した。その結果、ワンシントンは、マッカーサーの権威に抗して占領政策を変更しやすくなった。マッカーサーは、超エリート軍人で、さらに日米戦争を勝利に導いたとして大変権威があり、また尊大な性格でもあったことから、ワシントンの官辺から恐れられていた。加えて、マッカーサー自身も、政治的な野心が消えたことから、もはや国内の左翼的な人々に迎合する必要がなくなった。

例えば共産主義者の都留重人（しげと）は、GHQの「右旋回」は1947年末から開始され、政策転換が公式化したのは1949年1月と見ているようである（公安調査庁「2002」,p. 58）。すでに述べたように、ケナンの報告書（PPS 28）が国家安全保障会議（NSC）と大統領の承認を得たのが1948年10月なので、都留の全体的な印象は概ね妥当なのではないだろうか。

敗戦革命を目指した左翼勢力

また、GHQが占領直後から日本人の共産主義者を味方につけ、日本国民の洗脳に利用しようとしていたということもある。GHQは日本弱体化を目的として、日本の共産主義者の協力の下にいくつもの団体を新たに設立したが、第5章の第4節で述べるように、その多くは現在も存在し、相変わらず日本の国益に反した活動を続けているのである。さらに、GHQの直接的な関与がない場合でも、「共産党対策における永遠の問題は、共産党が多数を占めているわけではない組織に共産党が浸透してその主導権を握ってしまうことである」（岡崎［2002］,p. 248）。

前章で詳しく述べたように、GHQの日本国民に対する洗脳は、彼らが日本に留まった6年8

カ月の間、厳しい言論統制を伴いつつ、徹底して行われた。しかし彼らが去った後も、GHQ洗脳の日本人優等生たちが、国内でこれを繰り返し再生産してきたために、70年以上経ったにもかかわらず、多くの日本人がいまだにGHQ洗脳から解けないでいるのである。

こうした日本人優等生とは、典型的にはいわゆる「戦後民主主義の進歩的文化人」と言われる人たちである。彼らは、日本人は、あたかも戦後初めてアメリカ人から民主主義を教えられたと受け止め、日本はこの時点で国の開闢以来初めてまともな国になったとでも捉えているかのようである。ここでも基本的に、日本の左翼勢力がGHQの政策を、いわば欣喜雀躍して受容したということであろう。

こうした人たちの中には、これを奇貨として、日本でもいわゆる敗戦革命を目指そうとする勢力もかなりいたに相違いない。マルクス、エンゲルスによれば、成熟した資本主義国において革命が起こると予言していたが、実際に革命が起こったのは、敗戦後のロシアとドイツであった。ロシアは日露戦争で敗北した後、しばらくしてロシア革命が起こったし、ドイツでは第一次世界大戦に敗北していく中で、キール軍港での水兵の叛乱(はんらん)とそれに端を発した労働者の大衆的蜂起（1918年11月3日の「レーテ蜂起」）によって、皇帝ヴィルヘルム2世が廃位され、帝政ドイツが崩壊した。それを受けて、1919年1月19日、国民議会選挙が実施され、同年2月11日、ヴァイマール共和国の政権（初代大統領＝フリードリッヒ・エーベルト）が誕生した★(46)。

しかし、日本は戦後初めて米国から民主主義を授かったなどという認識をするとしたら、それは日本の歴史のイロハを知らないと言っても過言ではない。明治天皇の「五箇条の御誓文」（明治元年、1968年）は、民主主義の本質的な部分を含んでいる。すなわち五箇条のうちの第一は、「広く会議を興し、万機公論に決すべし」となっている。また、終戦翌年の1946年元旦、昭和天皇の「新日本建設に関する詔書（しょうしょ）」（俗称＝「天皇の人間宣言」）でも、その冒頭に「五箇条の御誓文」の五箇条のすべてが引用された上で、日本の民主主義はこれに基づいており、これが戦後の新日本を建設する根本方針であることを示している。

この詔書は、天皇の不訴追・地位保全を視野に入れていたGHQが、「天皇＝現人神（あらひとがみ）」説だけは否定しておきたいとの趣旨から昭和天皇に要請して実現したものである。昭和天皇は、詔書の終わりの方でその要請には一応こたえたものの、日本にはすでに民主主義的な伝統があることを冒頭で明確に示されたのである。昭和天皇は、日本は、アメリカから民主主義を教えてもらう必要はないというメッセージをここに込められたのではないだろうか。

そもそも日本の民主主義的な伝統は、1400年以上前の聖徳太子の「十七条憲法」（西暦604年）にまで遡ることができる。さらにあえて言えば、神話の時代にまで遡るといえるのかもしれない。「天の岩戸伝説」では、国家の一大事が起こった際、全国から八百万の神様に集まってもらい、話し合いをしようということになった。ほかの宗教ならば、最も重要な事柄については、一番偉い神様が決めるに相違ない。

★(41) 米国上院議員のジョーゼフ・マッカーシー（Joseph McCarthy, １９０８〜１９５７年）が、議会を舞台に共産主義者を次々に証言台に立たせるようになったのは、１９５０年に入ってからであるが、アメリカでは、１９４８年から激しい反共産主義運動が起こっていたので、ここでは、１９４８年から１９５４年をマッカーシーイズムの期間とした。
★(42) アメリカでは、１９５４年8月24日、共産党統制法が成立し、アメリカ共産党（ＣＰＵＳＡ）は非合法化された。
★(43) 戦時中、１９４３年夏から太平洋戦線のマッカーサー総司令部で対日心理戦の責任者となった。戦後は、マッカーサーの下で、ＧＨＱと皇室の間の連絡係を務めるとともに、１９４５年10月2日、マッカーサー宛に、「天皇に関する覚書」を提出し、天皇の不起訴を進言した。
★(44) 詳しくは、山下［2022 a］および 山下［2022 b］を参照。
★(45) ケイディスの正式辞任は、１９４９年5月。
★(46) ヴァイマール憲法は、１９１９年7月31日、国民議会で可決され、翌8月14日、公布された。

第5節　占領軍政のそもそもの限界

この章は、GHQの洗脳工作における共産主義の影響であり、それとは直接関係ないが、この節では、そもそもGHQの統治方法そのものに非常に大きな無理があったことを指摘しておきたい。

マッカーサーも、ウィロビーその他の人たちも、GHQは軍政なので、当然のことながら、基本的には米国の陸軍省（Department of War）——直訳すれば「戦争省」——の人たちによって構成されていた。すなわち、GHQはそもそも陸軍省の組織である。したがって、東京のGHQとワシントンとの間の通信経路は、陸軍省経由ということになっていた（ケナン［2017（1972）b,p.202］）。日本と西ドイツの占領軍司令官がワシントンの指揮を仰ぐようなことができたとしても、それは陸軍省の民政局に対してであった（ケナン［2017（1972）b,p.203］）。GHQの主要な組織として多くの人に知られている民政局（GS）にしても、G2（参謀第2部）にしても、それはそのままワシントンの陸軍省の組織名である。立正大学の増田弘名誉教授は、「本来彼ら（GHQ）

は、統合参謀本部（ＪＣＳ）および陸軍省の指令を実行に移す現地部隊に過ぎなかったが、実際には、マッカーサーの強い威望により、それを上回る歴史的役割を演じたことは広く知られているところである」（増田［1996］,p.3）と述べている。

したがって、国務省その他の連邦政府の省庁が司令官たちに何をすべきか指示することが難しかったばかりでなく、そもそも司令官たちが実際に行っていることを知ることすら容易ではなかった（ケナン［2017（1972）b,p..204］）。占領軍の司令官は、高度の独立性を持っていることに加え、必要とあれば、連邦議会やメディアに直接、訴えかけることもできた。「司令官たちは、事実上、昔の君主に等しい役柄を楽しんでいた」（ケナン［2017（1972）b,p.205］）。

無論、ＧＨＱには他の省庁からも応援のスタッフが多数来ていたが、基本的にはあくまでも米陸軍省の組織による統治であった。しかしながら、強大な軍事力を保有する組織であるとはいえ、所詮、陸軍省はあくまでも一軍事組織に過ぎないわけであり、一国を統治するために必要な知見や見識を備えているとは到底思えない。特に、日本や西ドイツのような世界的にも有数の工業力を有する高度の文明国を統治するには、様々な分野の知見が必要とされるはずである。ごく短い占領期間ならともかく、日本の場合６年８カ月も続いたわけであり、様々な複雑な問題も生じてくるはずである。日本にやって来たＧＨＱも、その意味で本来必要とされる能力に比べ、それに遥かに及ばないものしか備えていなかったに相違ない。彼らは表面上は偉そうにしていたのかもしれないが、内心では自分たちの能力不足を実感していたのではないだろうか。やっつけ仕事で、とにかく何とかやってしまったということであろうか。

すでに、第2章第1節で述べたように、憲法の起草作業がその典型である。25名が9日間で書き上げたが、そのうち弁護士は、民政局長のホイットニー、民政局次長のケイディスなど4名いたが、憲法の専門家は皆無であった。率直に言えば、一軍事組織に過ぎない米国陸軍省が、日本のような世界有数の長い歴史を持った主要な国を何年間も統治しようなどという発想自体、思い上がりも甚だしい。

とにかく、一軍事組織が一国を統治するなどというアイディア自体が問題外である。ほとんど蛮行と言っても過言ではないのではないだろうか。2003年のイラク攻撃以降のアメリカによる統治の惨めな失敗を思い起こさせる。イラクの場合には、同年5月11日、米国中央軍司令官のトミー・フランクス大将が、サッダーム・フセイン政権下で支配政党であったバアス党の解体宣言を行った。イラク復興を担う文民行政官（2003年5月〜2004年6月）兼第2代連合国暫定当局（CPA）代表のポール・ブレーマー（Paul Bremer, 1941年〜）★(47)もその方針を踏襲したために、30万人以上が追放された。イラクの場合、官僚、大学教員、学校の教員などほとんどがバアス党員だったので、国家の基盤が失なわれてしまい、民主主義も根付かなかった。

しかし、いずれにせよ彼らは、彼ら（GHQ）にとって最も重要な目的、すなわち日本人の頭の中を思想的に洗脳するという任務は、言論統制、公職・教職追放、東京裁判、ＷＧＩＰなどありとあらゆる手段を使いつつ、やりたい放題の強権を発動して完全にやり遂げた。彼らがいた全期間わたる最大の目的は、日本に対して仕掛けていた心理戦（psychological war）に勝利することであり、それは１２０％完全に達成した。しかし、言論統制以外の国の政策については、形の上では間接統治というものの、様々な形で口出しをしたわけであるが、こうした全般的な分野をカヴァーする知見や見識が一軍事組織のＧＨＱにあったとは到底思えない。

★(47) 元々は、米国務省の外交官で、元・駐オランダ大使。

第4章

戦勝国史観を根底から覆す時が来た

第1節　ルーズヴェルトがおかした20世紀最大の愚行

ウィンストン・チャーチルをはじめとする第二次世界大戦に関与した政治家や軍人の回顧録の類、優れた歴史学者の分析、具眼(ぐがん)の外交専門家の見解、あるいはフランクリン・ルーズヴェルト大統領の側近および近親者の証言、さらに今やかなり解除やリークが進んできた米英露のいくつかの機密文書等から総合的に判断すると、私はいまや戦勝国史観（東京裁判史観もしくはGHQ史観）を根底から覆す時が来たと確信している。そして、それを実行するのに最も相応しいのは、われわれ日本人である。なぜならば、最大の被害者だからである。また、歴史の真実を突き止め、そこから正しい教訓を導き出すことは、自由主義社会全体の将来にとって不可欠である。

後に詳しく述べるように、第二次世界大戦の開戦を画策したのは、主犯＝ルーズヴェルトと共犯＝チャーチルであるが、単に彼らの戦争責任というよりも、これはそれを遥かに超えた20世紀の世界史における最大の愚行である。そして、21世紀の今日になっても、その愚行の悪影響は今なお続いている。われわれは、そのようなものとして第二次世界大戦を認識すべきである。

第二次世界大戦は避けることが可能だった「不必要な戦争」

まず、英首相ウィンストン・チャーチル（Winston Churchill, １８７４～１９６５年）とマッカーサーの側近でＧＨＱの参謀第２部（Ｇ２）部長だったチャールズ・ウィロビー少将の回顧録から見てみよう。

チャーチルの『第二次世界大戦回顧録』は、原著は全６巻、全４，７００ページ以上の超大作で、１９４８年から１９５３年にかけて出版された。全訳も毎日新聞社から直ぐに出版された。こちらの方は全24巻仕立てとして、１９４９年から１９５４年にかけて出版された。

ところで、チャーチルは、１９５３年ノーベル文学賞を受賞した。ノーベル文学賞は、受賞作を特定して授与されるわけではないが、当時この超大作の出版が継続中だったので、この回顧録が受賞理由の中心だったとみられている。この年のノーベル文学賞は、ヘミングウェイが受賞するのではないかとの前評判が高かったことから、チャーチルの受賞は驚きを持って迎えられた。この回顧録の第1巻の「序論」でチャーチルは以下のように述べている。チャーチルがこの部分を書いたのは、１９４８年のことである。

チャーチル

ある日、ルーズベルト大統領は、私に、今度の戦争は何と呼んだらいいかについて、一般の意見を求めているといった（おそらく1942年）★(48)。私は、即座に「無用の戦争」（“the unnecessary war”）と答えた。前大戦の戦禍を免れて、世界に残されていたものを破壊してしまった今度の戦争ほど、防止することが容易だった戦争はかつてなかった。何億の人間のすべての努力と犠牲によって勝ち得た正義の勝利の後に、われわれが、なお平和と安全を発見することが出来ず、すでにわれわれが打ち勝ったものよりも、さらに大きな危険にさらされているということにおいて、人間の悲劇は頂点に達する。私は、過去を省察することが、来るべき手引きとなり、新しい世代をして過ぎ去った年の誤りの幾つかを是正せしめかくして人間の必要と栄光に従い、将来の恐るべき場面の展開を統御し得ることを切望する（チャーチル［1949（1948）,pp. 3-4］）。

このように、チャーチルはこの戦争を「不必要な戦争」であり、また「避けることが容易だった戦争」だと認識していたのである。第二次世界大戦の開戦について、チャーチルにも責任の一端は大いにあるが、大筋ではルーズヴェルトに引きずられたものだという印象を持っていたのではないかと推察される。後に述べるように、ルーズヴェルトは英国だけでなく、フランスやポーランドその他のヨーロッパの国々、そして日本も戦争に巻き込んだのである。また、チャーチルは、序文のこの部分で、何か大きな危険が将来待ち受けているであろうことも感じている。もう一つ重要な点は、チャーチルは根っからの反共産主義者であることから、「さらに大きな危険にさらされている」と言っているは、これから待ち受けるであろう共産主義の危険であるに違いない。つまり、チャーチルはすでに１９４２年の時点で、ソ連と組んで第二次世界大戦を開始したことの危険性を認識していたということである。

他方、チャールズ・ウィロビーも、自身の回顧録『知られざる日本占領』の本文の冒頭部分で以下のように述べている。この本の原著の発行年については、邦訳に書かれていないので正確には分からないが、邦訳の監修者の延禎(ヨンヤン)の「あとがき」には、原著を米国で発行してから数年たったと言っているので、ウィロビーが本書を書いた時期は、おそらく１９６０年代の後半とみられる。

この回想記を書くにあたって、私がまず第一にいいたいことは、太平洋戦争は行われるべきではなかった、ということである。米日は戦うべきではなかったのだ。日本は、米軍にとっての本当の敵ではなかったし、米国は、日本にとっての本当の敵ではなかったはずである。歴史の偶然というものは恐ろしいものだ。歴史の歯車がほんの少し狂ったせいで、本来、戦うべきではなかった米日が凄惨な戦争に突入したのだから。私が書いたもののすべての基調となるのは、日本との戦争、あるいはドイツとの戦争は西側の自殺行為であるということである。

たとえ日本がどんな誤りを犯すとしても、どんな野望を持つとしても、米国が日本を叩きのめすなら、それは日本という、米国にとっての最良の防壁を自ら崩してしまうことになるのである。ところが、あの不幸な戦争の結果、ロシア、中国をけん制してあまりあったはずの日本およびドイツの敗戦ゆえに、現在では共産主義国家とされているソ連、かつてのツアー支配下のロシアそのままの圧政をしくソ連の指揮による破壊転覆の異常な発達が、今日、われわれにとっての頭痛のタネとなっているのである。共産主義国家のいわゆる「革命の輸出」と呼ばれる破壊工作は、もし、わが国が日本を東洋の管理者、ドイツを西洋の管理者にしていたなら、決して現在のような脅威の対象とならなかったはずである。わが国は、これら二国と協同戦線を組むかわりに、破壊してしまった（ウィロビー［1973］,pp. 15-16）。

チャーチルも、ウィロビーも、それぞれの回顧録の冒頭部分で述べており、最も言いたかったことだったのではないかと思われる。ウィロビーの場合は、まさしく回顧録の最初のセンテンスとして持ってきているし、チャーチルの場合も、初めから3ページ目（邦訳版）で述べている。2人とも同じような立場から同じような内容の主張をしているわけであるが、チャーチルは第二次世界大戦は避けられたと主張し、他方、ウィロビーは、それに加えてアメリカは戦うべき相手を取り違えたと主張しているも同然である。ウィロビーの回顧録は、チャーチルのそれからさらに20年ほど経った時点でのものであるだけに、長引く東西冷戦構造を背景として、後悔の念がより具体的かつ大きいということであろうか。

第二次世界大戦を引き起こしたのは、ドイツでも日本でもなく、実質的には米英両国である。その意味でチャーチルも共犯者であるが、彼は当時、崩壊に向かって急な坂を転げ落ちていく大英帝国を前にして、軍事的にも、資金的にも米国に頼らざるを得ないと考え、ルーズヴェルトに引きずられたという意味合いがかなり強い。

第二次世界大戦で、米英はこともあろうに、共産主義の全体主義的独裁者であるスターリンと組むことにした。そもそもこれが初歩的かつ根源的な間違いである。スターリンによる大粛清は、１９３６年８月19日の「第１回モスクワ裁判」からすでに本格化していた。その後、１９３７年１月23日に第２回モスクワ裁判、さらに１９３８年３月２日に第３回モスクワ裁判を開催し、大粛清はすでにピークに達していた。これらは外国メディアにも公開して行われたものなので、この時点で国際的にも広く知れ渡った事実である。こうしたスターリンによる大粛清は、さすがに戦時中は中断されたが、戦後はさらに規模を大幅に拡大して行われた。

他方、ドイツ各地でユダヤ人が襲撃された「水晶の夜」（クリスタル・ナハト）は、１９３８

年11月9日の夜から翌10日の未明にかけて発生した。これには、ナチ党政権による「官製暴動」であったとの説もある。しかし、ナチスが、ユダヤ人をユダヤ人だからという理由だけで強制連行し始めたのは、大戦が勃発した1939年9月1日より後のことである。

両大戦間期は、大恐慌やそれに伴なう世界経済のブロック化など各国は非常に大きな困難に直面していたために、何か力業（ちからわざ）（戦争など）を持って解決するしかないという考え方が次第に支配的になってきていた。当時の世界の主要国は、みな多かれ少なかれそうした帝国主義的な考えを持っていた。他方、スターリンも、ヒトラーも、2人とも危険であることは分かっていた。1930年代半ばから後半にかけて、ヨーロッパの指導者たちは、仮に大規模な戦争が起きた場合、ドイツとロシアのどちらを味方につけるべきかということが重要な関心事となった。そこで、1930年代半ばから後半にかけて彼らは、スターリンとヒトラーなら、どちらがましかという議論をかなり行っている。

そして、ほとんどすべての指導者たちの結論は、「スターリンよりヒトラーの方がまし」（“Better Hitler than Stalin”）というものであった。二人とも危険だが、ヒトラーは共産主義と戦ってくれているというのがその大きな理由であった。まだ、ナチスによるユダヤ人の大量虐殺は起きていなかったので、これがその頃の常識的な判断であったであろう。オックスフォード大学の教員で英国の著名な歴史家のアラン・テイラー（A. J. P. テイラー、1906~1990年）は、著書『第二次世界大戦の起源』（１９６１年）で、英仏の指導者たちのこうした傾向について紹介している（Taylor［1991（1961）］,p.146）★(49)。

また、アラン・テイラーによれば、当時ヨーロッパの指導者たちにとってもう一つの大きな心配事は、ヨーロッパが戦争になった場合、もしそこにロシアが参戦しないとすれば、戦後、英独仏などのヨーロッパ主要国が疲弊する一方、ロシアが無傷で残ってしまうことになる。その場合、戦後のヨーロッパはロシアによって支配されるのではないかという危惧であった。そこで彼らは、もし戦争が不可避だとしたら、絶対にロシアを巻き込まなければならないと考えていた（Taylor［1991（1961）］.pp. 279-280）★(50)。こうした要素もあったのである。

いずれにせよ、以上のようにヨーロッパの指導者たちの多くは、「スターリンよりヒトラーの方がまし」と考えていたのであるが、それにもかかわらず、共産主義に対する警戒心が極めて薄いルーズヴェルト大統領はスターリンの側について、ドイツと日本を叩くことに決めたのである。ルーズヴェルトの立場は、１９３７年10月５日のシカゴにおける「隔離演説」（“the Quarantine Speech”）においてすでに明らかになっている。すなわち、日独伊３国を侵略国として非難するとともに、「侵略国を孤立化せよ」として、従来のアメリカの中立政策とは異なる外交姿勢を示した。あとで詳しく述べるように、日米戦争は、日本が真珠湾攻撃をしたから始まったわけでは断じてない。実質的には、もっと前に、米国が行動したことによって始まっていたのである。

ルーズヴェルトの致命的な過誤とその帰結

チャールズ・ウィロビー少将が回顧録で事実上言っているように、ルーズヴェルトが戦うべき相手を取り違えたとしたら、初歩的かつ途方もなく大きな歴史的間違いをおかしたことになる。その世界的影響は、極めて甚大かつ長期に及んでいる。

そもそも、第二次世界大戦前、世界広しといえども、共産主義国はたった2カ国しかなかった。ソヴィエト社会主義共和国連邦とモンゴル人民共和国★(51)のみである。しかし、第二次世界大戦で米英がソ連を味方にして勝ったために、ソ連が戦勝国となり、その結果、戦後、共産主義国、社会主義国が世界中に増殖した。東欧はすべて社会主義国になったばかりでなく、アジアでも北朝鮮、中国、ヴェトナム、カンボジア等々、社会主義国が多数成立した。最盛期には、世界の社会主義国は合計41カ国に上ったとみられる。自由主義世界の立場からいえば、これを大惨事といわずしてなんと呼ぼうか。朝鮮戦争、ヴェトナム戦争、カンボジアにおける大虐殺なども起きた。

率直に言って、全くの愚行である。自由民主主義的な資本主義の大国であるアメリカの最大の敵は、本来は無論、ソ連であったはずである。なぜなら、当時ソ連は、世界で唯一の主要な社会主義国であった。ちなみに、日独は防共協定（1936年11月25日調印）★(52)を結び共産主義としっかり対峙していた。アメリカの行為ははっきり言ってしまえば、ヨーロッパと日本を含め世界の資本主義諸国全体に対する裏切り行為である。資本主義国の権化のような存在のアメリカが、世界の資本主義国全体を裏切るとは、一体何事であろうか。それ自体、本来はアメリカ国民にとっても一大スキャンダルだったはずである。

ちなみに、アメリカは、１９４１年3月11日に成立した「武器貸与法」(Lend-Lease Acts)に基づいて、大戦中、ソ連に対して１１３億ドルの軍事物資を支援した。これは、イギリスに対する３１４億ドルに次いで２番目に大きな規模である。第３位はフランスの32億ドル、第４位が中国の16億ドルであった。

１９４０年11月の大統領選挙で、１４０年以上続いた慣例（大統領職は2期まで）★(53)を破って初めて３選を果たしたルーズヴェルトは、もはやカリスマであり、ほとんど何でも思い通りにできた。初代大統領のジョージ・ワシントン以来、第31代大統領のハーバート・フーヴァー（ＦＤＲの前任者）に至るまで、誰一人としてこの慣例を破ったものはいなかったのである。ヨーロッパでの第二次世界大戦は前年にすでに始まっていたとはいえ、計31代、１４０年以上も続いた大統領職に関する慣例を破ってまで出馬しようと発想すること自体、ルーズヴェルトの極めて傲慢な性格を表していると言えるのではないだろうか。

ここで、米国の第二次大戦への参戦に強く反対して１９４０年9月に設立されたアメリカ第一主義委員会（the America First Committee）の主要メンバーで、当時アメリカで最も有名な著名人であった飛行士のチャールズ・リンドバーグ（Charles Lindbergh, 1902～1974年）大佐の1970年時点における第二次世界大戦に関する感想を見てみよう。これは、彼の日記録『リンドバーグ第二次大戦日記』（1970年）★(54)が出版されるのに際して、発行者からリンドバーグに宛てた手紙に対する彼の返信である。

これらの（自分の）日記を再読して、あたかも四分の一世紀ほど経た大所高所から第二次大戦を振り返った場合、私の結論はどうかというお尋ねですが、われわれは確かに軍事的な意味での勝利を得た。しかし、もっと広い意味から考えれば、われわれは戦争に敗北したように思われてならぬ。なぜなら、われわれの西洋文化はもはや昔日のようには尊敬されてもいなければ、確固としたものでもなくなっているからです。

ドイツと日本を敗北させるために、われわれはそれよりも脅威の大きいロシアと中国とを支援した。両国は、いまや核兵器の時代にあって、われわれと対決する関係にあります。われわれはおかげで、多くの人間が生きてきた悠久を通じて形成される根源的な遺産を失ってしまった。その間、ソヴィエトは、鉄のカーテンを引いて東ヨーロッパを覆い隠し、何事にも反対する中国政府はアジアでわれわれを脅かしつつある（リンドバーグ［2016（1970）a］,p.8）。

終戦から四半世紀を経た時点で、リンドバーグが冷静かつ大所高所から見た第二次大戦に関する見方も、やはり、ウィロビー少将と同様にアメリカは戦うべき相手を取り違えたという反省である。

アメリカ国民をも裏切ったルーズヴェルト

ニューヨーク選出の下院議員を24年間余りにわたって務めた共和党の重鎮ハミルトン・フィッシュ3世（Hamilton Fish III, 1888〜1991年）が、1976年に回顧録『ルーズベルトの開戦責任』を出版した。この本の訳者の渡辺惣樹（そうき）の「訳者あとがき」によれば、彼はオランダ系の名門家系で、祖先はニューヨークがオランダの植民地だった時代のオランダ総督にまで遡ることができるし、祖父はグラント政権時代の名国務長官だった（フィッシュ［2017（1976）］,p. 405）。彼は、リンドバーグと同様に、アメリカ第一主義委員会で活動し、ルーズヴェルトが推進していた米国の参戦に強く反対してきた。しかしその彼が、真珠湾攻撃の直後、12月8日、にルーズヴェルトのいわゆる「恥辱の日」演説を踏まえ、同日、大統領の対日宣戦布告を容認するラジオ演説を真っ先に行った。

しかし、彼は後年、真珠湾攻撃のわずか12日前の11月26日に、アメリカ政府が日本政府に対して最後通牒（つうちょう）（「ハル・ノート」）を出していたことを知り、ルーズヴェルトがアメリカ国民と議会

H・フィッシュ

を騙（だま）していたことを覚（さと）る。「ハル・ノート」を出していたことなど一般の米国民はおろか、連邦議会の有力議員でさえ知らなかったのである。当然のことながら、H・フィッシュはルーズヴェルトに非常に強い憤りを感じるが、彼が回顧録を出版したのは終戦から30年以上を経た１９７６年であった。彼は、ルーズヴェルトがイギリス、フランス、ポーランドなどに対して軍事的・資金的協力を示唆することによって圧力を掛け、これらの国々を強気にさせたことが、ドイツのポーランドへの侵攻、すなわち、１９３９年9月1日のヨーロッパにおける第二次世界大戦の開始を決定付けたと述べている。

ダンツィッヒの帰属問題を巡る協議でポーランドは、当初はドイツの意向に沿う方針であったが、ある時期から強硬姿勢に転じた。10世紀以来ドイツ商人が営々と築き上げてきた都市ダンツィッヒ（25万の住民のうち95%がドイツ人）とそこへのアクセスを確保するためのポーランド回廊は、元々はドイツ領で、この領土の回復はドイツにとっては、ヴェルサイユ条約の不正義を解消するために欠かせないものであった。ポーランドがある時期から強気に転じた背後に、１９３９年4月から始まった英国の「ドイツ囲い込み政策」があったのであり、ヒトラーは英国に裏切られたと感じていたという。H・フィッシュは、ドイツがポーランドに侵攻する半月前の同年8月14日に、ヨアヒム・フォン・リッベントロープ独外相と彼のザルツブルク郊外の山荘で会談しており、ポーランドとの交渉の経緯を直接聴いている（フィッシュ［2017（1976）］,pp. 170-178）。

この時H・フィッシュは、翌15日からノルウェイのオスロで開催される列国議会同盟会議に米国の代表として参加するためにヨーロッパに来ていたのであるが、この旅で、英外相のハリファクス伯爵（エドワード・ウッド）やフランスのシャルル・ボネ外相、駐英アメリカ大使のジョーゼフ・ケネディ★(55)（ジョン・F・ケネディの実父）などとも会談しており、第二次世界大戦開始前夜のヨーロッパの状況をよく承知していた。それだけに、H・フィッシュのいうルーズヴェルトが英国に圧力を掛け、ポーランドに強硬路線を取らせたとする見方には説得力がある。

またH・フィッシュは、ジョーゼフ・ケネディから、「イギリスを戦争に追い込んだのはアメリカである。ルーズヴェルトが無理やりイギリスを戦争に駆り立てた」とチェンバレン英首相が語っていたことも聞いている（フィッシュ［2017（1976）］,pp. 160）。当時のルーズヴェルト政権では、駐ソ米国大使の経験もある駐仏アメリカ大使のウィリアム・ビュリット（William Bullitt Jr.　1891～1967年）が、政権内で事実上ヨーロッパ全域に関する全権大使のような非常に大きな役割を果たしていた。ジョーゼフ・ケネディによれば、ビュリットが1939年夏、ルーズヴェルトを説得してポーランドに対して、ドイツには一切妥協するなと強要したとのことである（H. フィッシュ［2017（1976）］,p. 160）。

そして、H・フィッシュも、チャーチルやウィロビーと同じ結論を出している。すなわち、「私はあの戦い（第二次大戦）は〈誰も望まなかった無用な戦争〉（"an unwanted and unnecessary war"）であったと信じて疑わない」と述べているのである（フィッシュ［2017（1976）］.pp. 197）★(56)。

ルーズヴェルトの大統領としての前任者である共和党のハーバート・フーヴァー（HerbertHoover, 1874～1964年）も、H・フィッシュと同じような考え方をしており、回顧録を彼の死の年である1964年に書き終えている。しかし、実際に出版されたのはフーヴァーの死から半世紀近く経った2011年11月であった。内容的に非常にセンセーショナルなために、おそらく遺族が出版を躊躇したためではないかと推察される。この回顧録『裏切られた自由』（*Freedom Betrayed*）は、ジョージ・ナッシュの編集によるものであるが、原著で1，000ページ近く、邦訳版で上・下巻の全1，400ページ近くに及ぶ大著であり、なおかつ内容的にも、戦勝国史観を根底から覆すような決定的な著作である。

H・フーヴァーは、トゥルーマン大統領の要請で、世界飢餓に対応する視察使節として、終戦（熱戦）直後の1946年5月、来日した。その際、同月4日から6日までの3日間連続してマッカーサーと会談した。H・フーヴァーはその際の記録を、彼の回顧録の末尾に「史料9」として掲載している。そこで、以下のように述べている。

私は、マッカーサーに、（戦時中の）１９４５年5月（正確には同月30日）にトゥルーマン大統領に宛てた（対日講和条件に関する私の）覚書の内容を紹介した。わが国は、この戦いの重要な目的を達成して日本との講和が可能である、と伝えたのである。マッカーサーもこの考えに同意した。（早い時期に講和していれば、その後の）被害はなかったし、原爆投下も不要だったし、ロシアが満洲に侵入することもなかった。私は、日本との戦いは、「狂人が望んだものだ」（"madman's desire to get into war"）と言うと、彼はそれに同意した。また、１９４１年7月の日本への経済制裁は、ただ日本を挑発するだけであり、日本は戦うしかなかった。あの経済制裁は、現実の殺戮や破壊ではなかったが、それ以外の点では戦争行為であった。いかなる国であっても、誇りがあれば、あのような挑発に長いこと耐えられるものではない（フーバー［2017（2011）b］,p. 475）★(57)。

ここで、H・フーヴァーが「狂人」（"madman"）と言っているのは、無論、フランクリン・ルーズヴェルト大統領のことである。H・フーヴァーも、反共産主義の愛国者なので、共産主義とスターリンに対して理解を示し、ソ連と組んで戦争に突き進んでいったルーズヴェルトのことをそう呼んだに違いない。マッカーサーも同じような立場だったので、わが意を得たりといったところであろう。第3章第3節で述べたように、マッカーサーを最年少の50歳で陸軍参謀総長・大将に任命したのはH・フーヴァー大統領である。

H・フーヴァーも、日本が戦争を仕掛けたのではなく、ルーズヴェルトが日本を戦争に追いやったと理解している。当然のことである。ハミルトン・フィッシュは、とりわけ1941年11月26日の「ハル・ノート」(〝the Hull Note〟)が、日本を日米開戦に踏み切らせたきっかけだと見ているが、他方、H・フーヴァーは、同年7月の対日経済制裁によって、すでに日本は選択の余地がほとんどなくなったとみている(フーバー[2017(2011)a], pp. 472-473)。7月の経済制裁とは、同月25日の米英による日本の在外資産の凍結及び、米国の対日輸出入を完全に米国政府の管理下に置くという措置である。H・フーヴァーは、そのほかに、その少し後の8月1日の対日石油輸出の禁止のことも含めて言っているのかもしれない。

いずれにせよ、私も、「ハル・ノート」より、在外資産の凍結で、すでに日本の進退は極まったと理解している。在外資産の凍結とは、より具体的には、当時、日本政府が横浜正金(しょうきん)銀行(Yokohama Specie Bank, YSB)のニューヨーク支店においていたドル預金口座の凍結ということである。ちなみに私事で恐縮であるが、横浜正金銀行は、私が40歳まで奉職していた東京銀行の前身なので、感慨深いものがある。ついでに言えば、国策銀行の横浜正金銀行は、戦前は世界有数の大規模な国際銀行であったが、戦後GHQによって解体させられ、新たに東京銀行(Bank of Tokyo)としてスタートしたという経緯がある。

ところで、残念ながらH・フーヴァーも、H・フィッシュも、2人ともお互いに相手の著書を知らないまま終わってしまった。というのは、フィッシュの回顧録が出た1976年にはフーヴァーはすでに死去していたし、他方、フーヴァーの回顧録が出た2011年にはフィッシュも他界していたからである。2人とも、アメリカ政界の重鎮で親しい間柄だっただけに、お互いが相手の著書のことを知っていたとしたら、さぞかし勇気づけられたことであろう。

すでに述べたように、H・フィシュは、1939年9月1日のヨーロッパ戦線の開始は実質的には、ルーズヴェルトが英仏、ポーランドなどに圧力をかけたためだと見ているが、アメリカの参戦については、フィッシュだけでなく、フーヴァーも、リンドバーグも、実質的にはルーズヴェルトが戦争を主導したとみている。

基本的にルーズヴェルトは、「アメリカが攻撃されない限り米国は参戦しない」と言ってきたのであるが、3選を決めた1940年の大統領選挙の直前には、「アメリカが攻撃されない限り」というくだり（前提）を語ることなく、戦争はしないと公約していた。この時の大統領選挙は1940年11月5日であったが、その直前の10月30日のボストンでの演説では、「対外戦争はしない」と公約し、さらに、「あなたのお子さんが、海外での戦争で戦うことは決してありません。何度でも何度でも繰り返して約束します」とまで述べた。また、投票2日前の11月3日には、「わが国の外交方針は（ヨーロッパの戦争に）巻き込まれないことが基本である」と演説で述べた

（フィッシュ［2017（1976）］,pp. 89-90）。ところが実際には、ルーズヴェルト政権はそれ以前も、それ以降も、着々と戦争に向かって進んでいた。

戦うべき相手を取り違えたルーズヴェルト

チャーチルの「鉄のカーテン」演説は、１９４６年3月5日、米ミズーリ州フルトンのウェストミンスター大学における演説である。日本との熱戦が終了してからわずか半年余りのことである。心理戦が終了したのは、サン・フランシスコ講和条約が発効した１９５２年4月28日であるから、その6年以上も前のことである。また、米外交官のジョージ・ケナンが駐在先のモスクワから、ワシントンにいわゆる「長文電報」（8，０００ワーズ）を打電し、ソ連に気を付けろ、政治的に封じ込めるべきだと訴えたのは、１９４６年2月22日である。これで、ソ連に対する幻滅がワシントンにようやく広がるきっかけとなった。さらに、このケナンの「長文電報」を踏まえて、１９４７年3月12日、「トゥルーマン・ドクトリン」で、世界は全体主義と自由主義に分裂していると認識し、米ソの対立が決定的となった。

「鉄のカーテン」演説にせよ、「長文電報」にせよ、終戦からわずか半年後に、これまで同盟国として一緒に戦ってきた相手を敵と認識したわけであり、それ自体、「われわれは戦うべき相手を取り違えました」と認めているようなものである。第3章第3節で述べたように、中国大陸が共産党に支配されるようになったのは（中華人民共和国の誕生）、直接的にはその時期に陸軍参謀総長から国務長官を歴任したジョージ・マーシャルの責任であるが、究極的にはそもそもルーズヴェルトが戦うべき相手を取り違えたことが原因である。

また、第2章第3節の公職追放のところで述べた、GHQがある時期から政策を180度転回し、逆コースを辿るような事態に立ち至ったのも、そもそもルーズヴェルトが戦うべき敵を取り違えたことが原因である。さらに言えば、朝鮮戦争の発生も、ヴェトナム戦争の発生も然りである。本来ならほとんどあり得ないようなルーズヴェルトの決断——共産主義の全体主義的独裁者で、しかもすでに戦前から大粛清を繰り返していたスターリンと組むなどという途方もない誤り——が、巨大な悪影響を全世界に及ぼし、そしてそれはいまだに続いているのである。ルーズヴェルトの初歩的かつ根源的な政策判断の間違いと言うしかない。

このように考えると、東京裁判で日本の戦争責任を追及したなどということ自体、全くの的外れであり、途方もない不条理である。本来なら、裁かれるべきは、ルーズヴェルト（主犯）とチャーチル（共犯）であり、ワシントン裁判の開催を請求したいぐらいである。

ルーズヴェルトはなぜ戦争に向かったのか？

ルーズヴェルトは、日本を追い込み、日本に最初の一撃を加えさせることによって、米議会および国民に対する戦争口実を作り、いわば裏口から参戦したとよく言われる。この場合、表口とはヨーロッパ戦線であって、ルーズヴェルトは英国をはじめとするヨーロッパの自由主義国をナチス・ドイツから助けたいために、裏口から日本を追い込んで戦争口実を作ったという意味である。日本を追い込んで戦争口実を作ったことはもはや間違いないと思うが、果たしてルーズヴェルトの一番の戦争目的は、ヨーロッパを助けることにあったのであろうか？

テヘラン会談（１９４３年11月～12月）、ヤルタ会談（１９４５年２月）におけるルーズヴェルトの東ヨーロッパ諸国やバルト諸国をスターリンに売り渡すような行動、さらには１９４３年９月３日、ルーズヴェルトの私設全権特命大使のような立場でもあった、当時ニューヨーク大司教のフランシス・スペルマン（後にローマ教皇から枢機卿に任命）に語ったとされる内容から判断すると、ヨーロッパを助けることが彼の第一の戦争目的であったとは考えにくいのである。フランシス・スペルマン（Francis Spellman、１８８９～１９６７年）は、その時、ルーズヴェルトが語った内容をメモで詳細に残していた。ロバート・ギャノン神父が書いたスペルマンの伝記『スペルマン枢機卿物語』（１９６２年）にその内容が詳しく紹介されている。スペルマンは、ルーズヴェルトのお気に入りで、大戦中の１９４３年に私設特命大使として16カ国を訪問した。ルーズヴェルトは、スペルマンを自由な立場の「大使」として使った。

大統領３選以降、ルーズヴェルトは、ハル国務長官に実権を持たせず、完全にワンマン外交で、議会にも国民にも隠し事の多い秘密主義外交を推進していたので、こういうインフォーマルな大使が必要だったのであろう。ハミルトン・フィッシュは、「ＦＤＲの秘密主義外交は、議会の意向を無視する独裁に等しい」（フィッシュ［2017（1976）］,p. 292）と述べている。

チャーチルは１９４３年9月1日から2日まで、ホワイト・ハウスでルーズヴェルトと会談した。おそらくその前に開催された第一次ケベック会談（同年8月14～24日）★(58)の後、チャーチルは米国に立ち寄ったのである。2日の夜はＦ・スペルマンも交えてホワイト・ハウスで３人による会食が持たれた。その翌日の３日（金）の午前中、スペルマンは、ルーズヴェルトと一対一で1時間半会談した。伝記作者のギャノン神父によれば、スペルマンの資料の中に2ページにわたってタイプで打たれた「これは会話におけるいくつかの重要なポイント」と題された文書があった（Gannon［1962］,pp. 222-224）。

内容は極めて衝撃的である。戦後の世界は、米英ソ中４大強国（Big Four）によって、それぞれの勢力下に分割されるとしている。「中国は極東を取り、アメリカは太平洋地域を、イギリスとロシアがヨーロッパとアフリカを分割する。ただし、英国が世界に植民地を確保していることに鑑みると、ロシアがヨーロッパのほとんどを勢力下におくことになろう」つまり、西ヨーロッパもロシアの支配下に置かれるということである。その上で、「希望的観測かもしれないが、ロシアのヨーロッパに対する介入は厳しすぎるものにはならないのではないか」（Gannon［1962］,p.

222）と言っている。ルーズヴェルトは、「（これで）4大国の合意を取る計画だ」としている（Gannon［1962］, p. 222）。なお、以上のくだりには、「4大国の協調」という見出しがついている。このメモに述べられているルーズヴェルトの対ロシア観は、経済面でも軍事面でも明らかにロシアを過大評価している。また、中国に対する著しい過大評価も目に余る。

第3章第3節でも述べたように、この頃ルーズヴェルトは、中国を世界の4大国に入れようと画策していた。スペルマンとの会談の直前に開催された第一次ケベック会談で、ハル国務長官からイーデン英外相に対して初めてそのアイディアが伝えられた。それを踏まえて、1943年11月1日の第3回モスクワ会談で、「四国宣言」が採択されたのである。また、これと同じ時期にルーズヴェルトは、米軍の延安ミッションの派遣に強い意欲を持ち始めた。いずれにせよ、共産主義に対する警戒心がほとんどないことに驚かされる。

実は、ハミルトン・フィッシュも彼の回顧録で、このスペルマンのメモを引用している（フィッシュ［2017（1976）］, pp. 141-144）。フィッシュもこの内容に驚愕したが、自分もスペルマンのことをよく知っており、「（彼は）誠実で信用できる人物」だとしており、このメモが真実だととらえている。また、ギャノンが書いたこの伝記が出版されたのは1962年で、スペルマンは存命だったので、事実と違うことがあれば、スペルマンから苦情がきたであろう。以上のことから、私もこの文書については信用できるものと理解してよいと考えている。

H・フィシュが言うには、自分はルーズヴェルトとは10歳台の半ばから20年間親しい友人であり、その後政治的に決別し、様々な問題で議会でやり合った仲であるが、これはルーズヴェルトが自分で考えたとはとても思えないとしている。ルーズヴェルトの周辺にいた共産主義勢力が知恵を付けたのであろうとしている。具体的には、ルーズヴェルト政権の中枢で各省のトップ・クラスの高官４人、すなわち、ロークリン・カリー（Lauchlin Currie）、ハリー・デクスター・ホワイト（Harry Dexter White）、アルジャー・ヒス（Alger Hiss）、ハリー・ホプキンズ（Harry Hopkins）の名を挙げ、このうちの誰かが、ＦＤＲがスペルマンに語ったプランを描いたに違いないとしている（フィッシュ［2017（1976）］,pp. 144-145）。また、Ｈ・フィッシュは、この４人なら誰でもそうした内容の献策をルーズヴェルトにしたとしても不思議はないとしている。いずれにせよ、ルーズヴェルト政権は、このように思想的に左翼にかなり偏った、しかもソ連のスパイと疑われるような連中に深く入り込まれた政権であった。

以上のように見てくると、ルーズヴェルトが戦争に前のめりになった一番の理由は、ヨーロッパを助けたいということではなく、おそらく、米国経済の回復ということにあったのではないだろうか。１９３３年3月に発足したルーズヴェルト政権の最大の目的は、アメリカ経済の大恐慌からの回復であった。国家の役割を高める形のニュー・ディール政策がルーズヴェルト政権の看板であったが、必ずしもうまくいっていなかった。アメリカ経済は、大恐慌による大幅な落ち込み後何年間か多少回復していたが、1938年～1939年の2年間は再びマイナス成長に陥っていた。ルーズヴェルトにとって、参戦の一番の大きな動機は戦争景気による生産の回復だったのではないだろうか。ルーズヴェルトは、実は、1939年から軍需品の生産拡大を指示しており、そのためもあって、翌年の1940年から米国経済は回復に転じた。

もう一つの要因として、中国への進出という点で、米国は日本に大きく後れを取っていたが、その利権を奪い取りたいと考えたということがありそうである。もしそうだとすれば、対日戦争は裏口というより、これぞまさに表口という意味を持ってくる。あるいは、ルーズヴェルトの狙いは、そこにあったのかもしれない。

戦前・戦中の世界は4つのニュー・ディール体制

ルーズヴェルトはことあるごとに、自分たちは全体主義国家と戦っていると言っていたが、どこから見ても全体主義国のソ連を味方にしていたわけであり、滑稽以外の何物でもない。また、ドイツ生まれで文明史家であるヴォルフガング・シヴェルブッシュ（1941～2023年）は、2006年に『三つの新体制――ファシズム、ナチズム、ニューディール』（*Three New Deals*）★(59)という非常に興味深い著書を上梓している（シヴェルブッシュ［2015（2006）］）。それによると、イタリアのファシズムも、ドイツのナチズムも、アメリカのニュー・ディールも、いずれも大恐慌から抜け出すために考案された国家社会主義的な政策で、三者は驚くほど似ているとしている。すなわち、同書の原題通り、「三つのニューディール」ということである。そして、実はそれは概ね日本にも当てはまるのではないかというのが私の考えである。

まず第一に、第一次近衛内閣の時の１９３８年５月５日、「国家総動員法」が施行され、統制経済体制に入った。さらに、１９４０年７月、第二次近衛内閣が誕生し、同月７月26日、「基本国策要綱」を閣議決定した。さらに、同年10月12日、大政翼賛会が発足した。日本の場合は、政権内に入り込んでいた尾崎秀実を中心とした共産主義勢力が究極的には敗戦革命を狙って政権に働き掛けた結果である。同じように、国家社会主義的な政策を採用した。共産主義勢力に政権内部深くまで入り込まれてしまったという点では、アメリカに似ているといえるのかもしれない。

レーニンとスターリンの掌で踊らされたルーズヴェルト

率直にって、ルーズヴェルトもチャーチルも、第二次世界大戦では、結局、レーニンとスターリンの掌で踊らされてしまった。しかし、あくまでも主役はルーズヴェルトで、チャーチルは脇役である。レーニンは１９２０年12月６日、ロシア共産党の会合における演説で、「資本主義国同士を戦わせ、互いに弱体化させた上で、ソ連が最後の一撃を与え、世界革命を実現させる」と述べた（「レーニンの基本準則」）。ルーズヴェルトが取った政策は、大きなストーリーとしてみ

ヤルタ会談
（左からチャーチル、ルーズヴェルト、スターリン）

れば、愚かしくも、まさにこの今から１００年以上前のレーニンの思惑通りに動いてしまったということではないだろうか。

アメリカは、ヨーロッパ大陸における最強の資本主義国であるドイツおよびアジアにおける最強の資本主義国日本と戦った。ソ連にとっては、願ってもないことが起こったわけである。ソ連は、経済的に行き詰ったことから最終的には１９９１年12月に崩壊したが、かなり長い間、東欧全域を支配したし、アジアをはじめその他の地域でも、社会主義国が増殖した。

テヘラン会談でもそうであるが、特にヤルタ会談では、ルーズヴェルトは、スターリンに大幅な譲歩をしてしまったわけであり、噴飯ものである。１９４５年2月のヤルタ会談で、ルーズヴェルトは、スターリンに東ヨーロッパと東アジアを進呈した（フィッシュ［2017（1976）］,p. 231）。１９４３年9月3日、スペルマン大司教に語った内容からすると、譲歩したというよりも、元々自分からそう思っていたということかもしれないが……。東アジアでは、日本の領土であった南樺太、千島列島、そして満洲をソ連に進呈した。この意味でも、われわれ日本人は今後、ルーズヴェルト批判を国際社会の場でしっかり展開していかなければならない。

本章ですでに、チャーチルの『第二次大戦回顧録』の序論の部分を少し引用したが、それに次ぐ第1章のタイトルは、「勝者の愚行」となっている。これは、第一次世界大戦の勝者たちが、敗者のドイツに対して過酷な賠償金と領土を要求したことが、第二次世界大戦の遠因になっていることを匂わす内容である。換言すれば、ケインズの『講和の経済的帰結』（１９１９年12月初版）で述べられた警告が正しかったことを意味する（ケインズ［1972（1919）］）。

第二次世界大戦のルーズヴェルトの場合はどうであろうか？　戦う前にすでに恐ろしい愚行をおかし、結果的に戦争の勝者となったが、本来、自由主義陣営にとって一番の敵と組んでしまったがために、本来の敵である共産主義者に勝利の果実の多くを奪われてしまった、ということではないだろうか。つまり、ルーズヴェルトの場合は、いわば「勝者の事前の愚行」ということになろうか。このように考えると、ルーズヴェルトは、本来、共産主義者以外の世界のすべての人々に対して痛切なる謝罪をすべきということになるのではないだろうか。

歴史に学ぼうとしなかったルーズヴェルト

ルーズヴェルトの共産主義というものに対する著しい理解不足がこうした事態を引き起こした。

どうやら、ルーズヴェルトは、余り知性的な人間ではなかったようである。幼馴染み、近親者（特に娘婿のカーティス・ドール）、若い頃の長年にわたる友人で後に政敵となったH・フィッシュ等々多くの人が、ルーズヴェルトがまともな本を読んでいるのを見たことがないと証言している。愛想が良く、人を惹きつけるものがあったと言われるが、立派な政治家（statesman）ではなく、政治的駆け引きに長けた政治屋（politician of a sort）に過ぎなかったようである。立派な人が多く人々の支持を得るとは限らないというのが世の常であろうか。

一国のリーダーともなれば、歴史に学ぶという姿勢が不可欠だと思うが、彼にはそういうところが見られない。そもそも、ルーズヴェルトは歴史書をほとんど読まなかったようである。したがって、ヴェルサイユ条約がいかに大きな問題を生み出したかも分かっていなかったので、ドイツが被った不正義（多額の賠償金支払いと領土の過大な割譲）についても全く理解できない。換言すれば、そもそもルーズベルトはヴェルサイユ条約が強欲と傲慢からくる「勝者の愚行」によって失敗に帰したことを、理解していなかった。また、本章の次節でやや詳しく述べるように、国際通貨体制の歴史についても全く理解していなかったので、両大戦期におけるヨーロッパを中心とする折角の国際通貨安定化努力も、大統領に就任した早々、台無しにしてしまった。そもそも、ハミルトン・フィッシュは、ルーズヴェルトは経済全般についてもよく分かっていなかったという評価をしている。ちなみに、H・フィッシュは、ハーヴァード大学で歴史と公共政策を修め、大学から成績優秀者に与えられる「クム・ラウデ」（"cum laude"）の学位を授与されている（フィッシュ［2017（1976）］. p. 208）。ルーズヴェルトも、同じくハーヴァード大学の出身であるが、特に非凡なところはなく、むしろ平たくいえば、「勉強嫌い」だったようである。

ただし、ルーズヴェルトの声は、艶があって非常に魅力的だったと、政敵のH・フィッシュも認めている。ルーズヴェルトは、大統領就任直後の１９３３年3月から１９４４年6月まで、合計30回、ラジオで「炉端談話」（"Fireside Chats"）を行い、国民に働き掛けた。これが、国民の人気を引き付ける大きな要因になったのかもしれない。

ハミルトン・フィッシュは、ルーズヴェルトは最後まで米国聖公会（Episcopal Church）の熱心な信者だったことから共産主義者ではなかったが、かなりのシンパだったとみている。共産主義者ではないだろうし、また共産主義思想をよく理解していたとも思えないが、ルーズヴェルトが実際にとった政策は、基本的に共産主義者のそれと同じだったのではないだろうか。冷戦時代に、共産主義者ではないが、共産主義のプロパガンダやマニピュレーイションに影響を受けやすい人を、共産主義者を利することになってしまうという意味で、「ユースフル・イディオット」（"useful idiot"「役に立つ間抜け」）という表現がしばしば使われたが、ルーズヴェルトはその典型ではないだろうか。しかも、世界一の権力者が、初めから終わりまで、共産主義者にとって「役に立つ間抜け」として行動してしまったということである。

ルーズヴェルトの場合、スターリンに騙されたというよりも、途方もない勘違いの下に、スターリンを何か新しい世界体制を共に築くことができるような相手とでも思い込み、自分から進んで騙されに行ってしまったということではないだろうか。スターリンからみれば、米国はあくまでもいずれ倒さなければならない資本主義の一番の敵国と、一貫して見ていたに相違ない。

日本は、一体、誰と戦ったのか？

このように考えると、日本は一体、誰と戦ったのだろうか？ ルーズヴェルトは、各省庁のトップ・クラスに、4人の共産主義者もしくは非常に強いシンパを抱えていたことが分かっている。すなわち、ホワイト・ハウスには大統領補佐官のロークリン・カリー、財務省にはハリー・デクスター・ホワイト、商務省にはアルジャー・ヒス、またルーズヴェルトの最側近のハリー・ホプキンズ（元・商務長官）がいた。ハリー・ホプキンズに至っては、ルーズヴェルトは1940年5月10日から彼をホワイト・ハウスに住まわせており、まさにルーズヴェルトの分身のような存在であった。ホプキンズは、スターリンと親しく、ルーズヴェルトはそれを自慢していたほどである。そして、これらの4人は、米国の「ヴェノーナ文書」★(60)、ロシアが情報源の「ワシリエフ・ノート」★(61)および「ミトローヒン・アーカイヴ」★(62)の3つの機密情報の解除文書もしくはリーク情報文書に、いずれもソ連のスパイとして断定されるか、もしくはその疑いが強いとされている人たちである。

また、アルジャー・ヒスとハリー・ホプキンズの２人は、ヤルタ会談にも同席した。これらの４人は大統領と直接話せる立場の人間であるが、そのほかにルーズヴェトと政権内には、多数のスパイが入り込んでいたことが知られている。だいぶ前は約１００人と言われていたが、現在は３００人ぐらいではないかという意見がある。人数が次第に増えているのは、時を経るにしたがって、機密情報の開示や情報リークが進んできたからである。

日本の場合にも、ソ連のスパイや共産主義者に政権内部に入り込まれたが、日米開戦直前に、尾崎秀実やリッヒャルト・ゾルゲなどを逮捕し、主犯の２人については１９４４年に処刑している。また日本の場合には、１９４１年1月から4月にかけて企画院内部に入り込まれた共産主義者を多数（17名）検挙している。しかしアメリカでは、戦前にこうしたことが起こったという話は聞いたことがない。逆に、ルーズヴェルトは政権内の共産主義者たちを庇護していた。ルーズヴェルトは、米国共産党（ＣＰＵＳＡ）書記長のアール・ブラウダー（Earl Browder, １８９１～１９７３年）とも知り合いだった。ちなみにブラウダーは、１９４３年11月、「アメリカ共産主義の蔓延」と題する演説で、何とニュー・ディール政策と共産主義の協調を謳っている。

このように考えると、日本は一体、誰と戦ったのだろうかとの疑問が湧いてくる。資本主義のチャンピオンであるアメリカと戦ったのか、それとも米ソの共産主義同盟と戦ったのであろうか？　恐ろしいことに、答えは、おそらくその両方である。頭の中は共産主義者で、体（生産力）は資本主義のチャンピオンというような国と戦ったのではないだろうか。最悪の組み合わせではないだろうか。つまりは、グロテスクなモンスターのような国と戦ってしまった、というより、ＦＤＲの悪辣ともいえるような政策によって追い込まれて戦わされてしまった。

考えてみると、今の中国は、戦前・戦中のアメリカと同じようなモンスター（頭の中は共産主義国で体は強力な資本主義国）への道を走っているのではないかとの懸念も湧いてきて、空恐ろしくなる。

★（48）チャーチルは、回顧録の中で、いつのことだったか書いていないが、ボルティモア大学准教授のエリザベス・ニックス（Elizabeth Nix）が寄稿した文章によれば、ルーズヴェルトが、一般からこの戦争の名前について意見を募集したのは、１９４２年であり、１万5千人からアイディアが寄せられたとしている（衛星放送の『ヒストリー・チャンネル』の英語版ＨＰ（history.com）. ２０１８年9月1日更新）。しかし、結局どれも採用されず、ルーズヴェルトが１９４１年に呼んだ「第二次世界大戦」がそのまま使われることになった。なお、「第二次世界大戦」という呼称を使いはじめたのは、英国の『マンチェスター・ガーディアン』紙で、１９１９年2月のことだという。次に起こるかもしれない大戦に対する呼称としてである。

★（49）邦訳では、テイラー［2011（1961）］.p. 200。

★（50）邦訳では、テイラー［2011（1961）］.p. 380。

★（51）モンゴル人民共和国は、１９２４年11月26日に誕生した。１９９２年2月13日、完全に社会主義を放棄し、民主主義的なモンゴル国となった。

★(52) 日独伊防共協定は、1937年11月6日に成立。
★(53) 戦後、大統領3選を禁止する合衆国憲法修正第22条が、1947年3月21日に成立し、1951年2月27日に発効した。
★(54) 邦訳は、上・下2巻で、合計800ページ近くの大著である。
★(55) ルーズヴェルトから任命されて駐英大使になったが、ジョーゼフ・ケネディは非介入主義者だった。
★(56) 原著では、Fish [1976], p.99。
★(57) 原著では、Nash (ed.) [2011], pp. 833-834。
★(58) ルーズヴェルトとチャーチルが出席して、カナダのケベックで開催された連合軍の秘密軍事会談。
★(59) 原著は、Schivelbusch [2007 (2006)]。
★(60) Haynes & Klehr [2000 (1999)]。邦訳は、ヘインズ&クレア [2019 (1999)]。
★(61) Haynes, Klehr & Vassiliev [2009]
★(62) Andrew & Mitrokhin [2018 (1999)]

第2節　第二次世界大戦勃発の歴史的背景

第二次世界大戦発生の大きな背景として、両大戦間期の世界が、前例のないような極めて混乱した状態にあったことが言える。そうした大混乱をもたらした要因はいくつかあるが、まず初めに挙げなければならないのは、第一次世界大戦が世界にもたらした極めて大きな悪影響である。

第二次世界大戦を導くことになった第一次世界大戦

１８１５年に、ナポレオン戦争が終結して以降、第一次世界大戦が始まるまでの約1世紀にわたり、ヨーロッパでは大きな戦争が起こらずに、「ヨーロッパの協調」（the Concert of Europe）の時代が到来したとか、あるいは「19世紀は古き良き時代」だったなどと言われるが、それはヨーロッパ域内のことにすぎない。世界全体で見れば、19世紀は欧米列強による帝国主義的領土拡大の時代であった。１８００年頃、列強はすでに世界全体の約35％を支配していたが、第一次世界大戦の直前には、世界全体の約84％を支配するまでになり、その間、植民地は飛躍的に拡大した。

このように19世紀は、世界が欧米列強の力による支配に蹂躙（じゅうりん）された時代に他ならない。それ以降、2つの世界戦争を経て、第二次世界大戦後、ようやく多くの国々が独立を果たしたのである。すなわち、19世紀初頭からの世界史の大きな潮流の中で、第二次世界大戦を位置付けるという視点を持つことが肝要である。

第一次世界大戦による戦死者は、戦闘員で1，000万人以上、非戦闘員で900万人、合計2，000万人近くに達した。戦後も、ヨーロッパは戦争の影から逃れることはできず、「1920年代は余震がまだ収まっていなかったし、1930年代は第2の地震が起きるという確信が日増しに膨らむ中で過ぎていった」（ノーマン・デイヴィス［2000b（1996）］,p. 73）。政治的には、自由民主主義の方向に向かっていた戦前の傾向は止まり、戦後はむしろ逆行し、多くの主要国で全体主義（totalitarianism）の方向に向かい始めた。多くの国々で暴力と権威主義が日常化し、政治の残忍化（brutalization）が進んだ。ナショナリズムが高まり、主要な国々においてファシズムが勝利する事態となった（Stanley Payne［1995］,p. 79）。すべての主要国が軍国主義的政策を採用し、諸々のルールを破り、残虐行為を働いた（Stanley Payne［1995］,p. 72）。

戦後、経済的にはドイツ賠償問題に加え、戦勝国側の連合国の国々も戦時負債（戦費債務）の返済問題を抱えることになった。戦後、ドイツは賠償支払いによって経済が著しく疲弊し、1922年夏から1923年秋にかけて、天文学的なハイパー・インフレーションに苦しみ、その結果、社会も人心もかなり荒廃した。国際通貨体制は、第一次世界大戦前は英ポンドを中心とする金本位制の下で非常に安定していたが、戦争の開始とともにそうした体制は崩壊し、両大戦間期は、遂に安定した国際通貨システムを再建することができなかった。不安定な国際通貨体制は、世界経済のパフォーマンスを著しく低下させる大きな要因ともなった。

第一次世界大戦によって経済的な大惨事を蒙ったヨーロッパと異なり、１９００年頃に英国を抜いて世界最大の経済力を持つことになったアメリカは、戦後、純債権国となり、金準備も世界全体の40％を占めるなど非常に豊富であったが、まだ世界経済をリードする気概に乏しかった。マサチューセッツ工科大学（ＭＩＴ）チャールズ・キンドルバーガー教授（１９１０〜２００３年）は、米国が英国からリーダーのバトンを受け取ることを拒否したことが、両大戦期において安定した国際通貨体制を再建できなかった大きな要因であったと述べている。

また、第一次世界大戦終了前の１９１７年10月、ロシア革命が発生した。日露戦争での敗戦も、ロシア革命の一因になったとみられるが、やはり第一次世界大戦が最大の理由であろう。ロシア革命政府は、帝政ロシアの対外債務の継承を一切拒否した。すなわち、対外債務の完全なる踏み倒し（repudiation）である。その結果、帝政ロシアに対する最大の債権国であったフランスが一番大きな影響を受けた。フランスが１９１９年のヴェルサイユ講和会議で、ドイツに対して膨大な戦後賠償を要求することに固執したのは、そのことも大きく影響している。高名な英国の経済学者ジョン・メイナード・ケインズ（１８８３〜１９４６年）が、１９１９年12月、著書『講和の経済的帰結』で、「我々がもし故意に中央ヨーロッパを困窮化しようと目論むならば、あえて予言するが、確実に復讐が訪れるであろう」と警告した（ケインズ［1977（1919）］）。ケインズが警告した通り、ドイツに対する過大な戦後賠償が、ちょうど20年後にヨーロッパで第二次世界大戦が勃発する大きな要因の一つとなった。また、ロシア革命は、政治的にはさらに大きな影響を国際社会に及ぼし、後にやや詳しく述べるように、第二次世界大戦発生の極めて大きな要因の一つとなった。

また、戦時賠償の問題に加え、領土問題もドイツにとって解決しなければならない大きな問題となった。ヴェルサイユ条約で、ドイツは領土の13％を失った。アルザス・ロレーヌ地方が40年ぶりにフランスに復帰したことに加え、ベルギー、デンマーク、ポーランド、チェコ・スロヴァキア、リトアニアへの領土の割譲を余儀なくされた。ドイツは、国境を接する周囲4方面のうち南部を除いて3方面、すなわち東部、北部、西部で領土を失った。すでに述べたように、そのうち、住民の95％がドイツ人であるダンツィッヒとそこへのアクセスとなるポーランド回廊の回収は、ヴェルサイユ条約の不正義を正すという意味で、ドイツにとっては譲れない最低限の線であった。

第一次世界大戦中に発生したスペイン・インフルエンザ（the Spanish Influenza）★(63)は、

1917年から1920年にかけて世界中で猛威を振るい、当時の全人類の約3割、6億人が感染したと言われる。経済学者で慶應義塾大学名誉教授の速水融(あきら)は、「スペイン・インフルエンザによる死亡者は、世界全体で2000万人から4500万人、日本でも内地だけでも50万人近くに達する」と述べている(速水[2006].p.13)。世界全体の死亡者数は、第一次世界大戦のそれを大幅に凌駕したものと思われる。第一次世界大戦が長引いたことによって、衛生状態が大幅に悪化したことが、感染の爆発的拡大につながったものとみられる。このように第一次世界大戦は、人類に対して広範かつ非常に大きな惨禍をもたらし、第二次世界大戦の発生要因を幾層にもわたって蓄積していくこととなった。

1919年のヴェルサイユ条約が、第二次世界大戦を導いた最大の要因であり、同条約は、結局、大失敗であった。

第二次世界大戦の最大の経済的原因としての世界大恐慌

1929年10月24日の「暗黒の木曜日」、ニューヨークの株価が大暴落し、それをきっかけとして世界大恐慌となり、1930年代の世界経済のパフォーマンスは大幅に低下した。世界貿易の規模(名目)は、1933年2月がボトム(底)となったが、これはピーク時(1929年1月)のわずか31・5%の水準にまで低下した。アメリカの労働者の4人に1人は失業した。ニューヨーク株価のボトムは、１９３２年半ばであったが、１９２９年のピーク時の水準を回復したのは、実に第二次世界大戦後の１９５１年のことであった。

１９２０年代のアメリカは、「ローリング・トゥウェンティーズ」（the Rolling Twenties）もしくは「金ピカ時代」と呼ばれ、極端な楽観主義と浅薄な文化・社会風潮に支配された時代であった。特に最も繁栄した時期は、１９２６年から１９２９年にかけてであった。最終的には、株価の暴落によって経済的なバブルが破裂したわけであるが、このときも御多分に漏れず、初期のバブル形成は不動産投資から始まった。アメリカ人とイギリス人による米国南東部フロリダの大不動産投資ブームである（ガルブレイス［2008b（1990）］, pp. 101-104）。この時期に、イギリス人の対米不動産投資が大幅に増加した背景は、１９２５年４月、イギリス・ポンドの金本位制への復帰である。このとき英国は、１７１７年以来の金平価（ニュートン比価）★(64)で復帰したが、これは明らかにポンドの大幅な過大評価であった。その結果、英国から米国への投資が急増したのである。

それから約80年後、２００７～２００８年に非常に大きな経済危機が発生するが、これもやはりアメリカが発生源である。実は長期統計を見ても、アメリカ経済に、最も頻繁に経済危機が発生することが明確に分かっている。ハーヴァード大学教授のカルメン・ラインハートとケネス・ロゴフは、１８００年から２００８年までの２０９年間における世界の主要国の銀行危機の数を調べた。その結果は、アメリカが15回、イギリスが13回、日本は7回、ドイツは4回に過ぎなかった。米国の場合、単純平均で13・9年に一度は銀行危機を経験してきたということである。（山下英次［2010］,pp. 143-144）★(65)。

米国の銀行危機の数は、いかにも多すぎる。銀行危機の数を調べたのは数えやすいからであるが、多くの場合、銀行危機は経済全体の危機につながる。この結果の意味するところは明らかである。アングロ・サクソン経済は、最も頻繁にブーム＆バースト（経済的バブルの膨張と破裂）を繰り返し、その結果、世界経済全体に大きな惨禍をもたらすということである。すなわち、人々の貪欲さとか、投機的性格が強いということだと考えてよいであろう。カナダ出身でハーヴァード大学教授のジョン・ケネス・ガルブレイス（John Kenneth Galbraith, １９０８〜２００６年）は、「アメリカ人はいまだに投機を誘う機運に乗りやすい国民であり、この点は誰しも認めざるを得ない」と述べている（ガルブレイス［2008 a（1955）］,p. 302）。

このように、危機を頻繁に繰り返す経済モデル（アングロサクソン・モデル）は、経済学者としての私に言わせれば、それだけで劣っていると評価すべきだと考えるが、一般にはいまだにそのように認識されていないのは不思議というほかはない。いずれにせよ、世界経済全体に極めて大きな悪影響を及ぼすことになった１９３０年代の大恐慌は、第一義的にはアメリカもしくは米英両国に責任がある。そして、大恐慌は間違いなく第二次世界大戦の最大の経済的原因となった。

英国サセックス大学教授で歴史家のクリストファー・ソーン（１９３４〜１９９２年）は、月並みな手段では大恐慌を克服できないことが明らかとなり、戦争に似た国民的力業を求める声が高まっていった、と述べている（ソーン［2005（1985）］,p. 38）。

大恐慌の影響としては、世界経済の大幅な縮小によって各国で失業が大幅に増大した結果、共産主義思想が広まった。ドイツでは、勢力を拡大する共産主義に対する対抗勢力として、ナチスが台頭した。ドイツの人々は、共産主義に対する恐怖から、ナチスにその防波堤となることを期待したのである。また日本でも、経済的な苦境を背景に、大陸に進出しようとする力が働いたということもあるであろう。

大恐慌への対応と国際通貨の安定を目的として、１９３３年6月12日から7月27日まで世界の60カ国が参加して、ロンドン世界経済会議が開催された。アメリカからはコーデル・ハル国務長官が代表として参加したが、１９３３年3月4日、大統領に就任したばかりのルーズヴェルトは、それに協力するどころか、休暇中の大西洋上から同会議に向けて、２つの「爆弾宣言」を行い、その国際会議を事実上ぶち壊した。まず、6月30日、ルーズヴェルトは、「米国は現時点でいかなる（通貨）安定化合意に同意しないし、また、米国市場における外国製品のいかなるダンピングも認めない」と述べた。さらに、7月3日、船上からのラジオ演説で、「（米国としては）あらゆる通貨と通貨の関係よりも、国内の健全な経済が重要である。……（中略）……（通貨の安定化）は、いわゆる国際銀行家の古い崇拝物（old fetishes）に過ぎない」と述べた（山下英次[2010],pp. 70-71）。

こうした発言からも分かるように、ルーズヴェルトは、安定した国際通貨システムというものがいかに重要性であるかを全く理解していない。自分たちの国が大恐慌を引き起こしておきながら、また、そのことで世界経済全体に多大なる迷惑をかけているにもかかわらず、国際協力を一切しようとせず、ひたすら自国の利益を求めるだけである。さらに、ルーズヴェルトは、翌年の１９３４年1月31日、またもや甚だ身勝手な経済政策を採用した。「１９３４年金準備法」を成立させ、ドルの金平価を従来の金１オンス＝＄20・67から金１オンス＝＄35へ、一挙に40・94％もの大幅な切り下げを断行したのである（山下[2010],p. 72）。ちなみに、それから37年後、リチャード・ニクソン大統領は、それと似たようなこと（「ニクソン・ショック」）をし、安定した固定為替相場制（ブレトンウッズ体制）を破壊したわけである。このように、アメリカは、余り深く考えずに実に身勝手かつ不埒なことをやってのける国なのである。

このように、ロンドン世界経済会議で安定した国際通貨の枠組み作りに失敗したことから、アイルランドを除く英諸国連邦は、１９３３年7月27日「大英帝国通貨宣言」でポンド圏を公式化した。こうして、大恐慌の影響によって、世界経済は、保護貿易主義的傾向が高まり、ブロック化が進行した。

こうした傾向の結果、世界経済は、それによってさらに悪化するという悪循環に陥った。まず、「暗黒の木曜日」の直後の1930年1月、アメリカは悪名高い「スムート＝ホーレイ関税法」を成立させた。その2年以内に、60カ国以上が自国の関税引き上げで対抗し、保護貿易的傾向が世界に蔓延した。また、こうした米国の超保護貿易主義的な近隣窮乏化政策に対抗して、イギリスはポンド圏の形成、すなわち経済ブロック化の方向に動いた。1932年7月から8月にかけてカナダで開催された英連邦オタワ経済協力会議で、英連邦の9カ国の間で、「オタワ特恵関税システム」を合意した。その後、世界各地の英植民地がこれに加わり、人口規模と面積でともに、世界全体のおよそ4分の1を占めていた大英帝国の周りに特恵関税の壁が作られた。このようにして、経済ブロック化の進展は、全般的に各国の国際経済活動が敵対的になる傾向を助長した。

すなわち、第二次世界大戦の勃発の一番大きな経済的要因を、米英両国がほとんどすべて作ったわけであるが、戦勝したために、今日に至るまで責任を問われないままにされてきたことを指摘しておきたい。

この節を閉じるに際して、第二次世界大戦の起因についてまとめておきたい。まず、大きな遠因は、ヴェルサイユ条約の大失敗（勝者の愚行）、大恐慌、大恐慌への対応としての世界経済のブロック化であるが、いずれも欧米諸国が原因を作ったのであり、日本の責任はほとんどない。

あえて言えば、大きな原因とは言えないがロシア革命も第二次世界大戦の原因の一つであり、これについては、日露戦争における日本の勝利が多少影響したかもしれないということはある。

他方、近因については、ヨーロッパ戦線、日米戦争ともに、一番大きな原因はルーズヴェルトが作ったというのが私の理解である。

★(63) 従来、一般には「スペイン風邪」と呼ばれてきたが、風邪ではなく、人類が遭遇した最初のインフルエンザの大流行（pandemic）である。スペインの名がついているのは、同国が発生源であったわけではなく、第一次世界大戦中、中立国であったために、検閲のなかったスペインの通信社から常に世界に対して情報が発信されたためである。

★(64) 高名な物理学者で、英国王立造幣局長官を務めた経験もあるアイザック・ニュートンが提案したもの。

★(65) この調査の原典は、Reinhart & Rogoff [2009], PP. 349-392, Appendix A.4：Historical Summaries of Banking Crises。

第3節　大東亜戦争開戦の経緯と根因

日本への影響についていえば、大恐慌後、世界経済がブロック化した結果、各国は自給自足経済（アウタルキー）を追求せざるを得ない状況となった。日本が１９３１年9月、満洲事変で満洲に本格的に進出したのは、世界経済がブロック化したことに対する日本としての対応でもあった。日本の場合、元々資源が乏しい「持たざる国」（"the have-not"）である上に、さらに１９３０年代後半からのＡＢＣＤ包囲網、加えて、１９３９年7月26日のアメリカによる「日米通商航海条約」の破棄通告という実質的には宣戦布告にも等しい一方的行為をはじめとする極めて厳しい経済制裁を受けたため、八方ふさがりの状況となった。こうした環境下で、ルーズヴェルト政権によって、日本は戦争に追い込まれていった。

人種差別も遠因の一つ

昭和天皇は、戦後の１９４６年3月中旬から4月上旬にかけて、御用掛の寺崎英成を含む５人の側近に対して、張作霖爆死事件（1928年6月4日）から終戦までの経緯を、5回にわたり計8時間20分間にわたって、語られた。大東亜戦争（the Greater East Asia War）の遠因について以下のように語られた。

> この原因を尋ねれば、遠く第一次戦争后（ご）の平和条約（ヴェルサイユ講和条約）の内容に伏在してゐる。日本の主張した人種平等案は列国の容認する処とならず、黄白の差別感は依然残存し加州移民拒否の如きは日本国民を憤慨させるに充分なものである。又、青島還附★(66)を強いられたことも亦（また）然りである。
> かゝる国民的憤慨を背景として一度、軍が立ち上がった時に、之を抑へることは容易な業ではない（寺崎英成、マリコ・テラサキ・ミラー（編）[1995（1991）],pp. 24-25）。

独白録で昭和天皇も述べておられるように、日本政府はヴェルサイユ講和会議などの国際場裡でも、熱心に人種差別の撤廃を働きかけていた。1919年、ヴェルサイユ講和会議の国際連盟規約委員会で、日本代表は同年2月13日と4月11日の2度にわたって、「国際連盟規約」に「人種差別撤廃」の条文を入れるよう要求した。2度目の機会に日本代表の牧野伸顕（のぶあき）は、国際連盟規約の前文に「人種差別撤廃」の条文を盛り込むように主張し、採決に持ち込んだ。圧倒的多数

（11対6）で日本の提案は支持されたが、この委員会の議長を務めた米国大統領のウッドロー・ウィルソンは、こうした重要案件の場合には全会一致が必要だとして却下するという極めて不公正な議事運営を行ったために、日本の高い理念は実現しなかった（山下［2015］, p. 94）。フランス代表のフェルディナン・ラルノードゥ（Ferdinand Larnaude）も、ウィルソンの議事運営を批判した。代表団の中ではイギリスが最も強硬に反対したが、アメリカ議会上院も強く反対していたために、ウィルソン大統領がこうした極めてアンフェアな議事運営に及んだものと思われる。なお、このとき日本提案に反対した英米以外の国々は、ポーランド、ルーマニア、ブラジルであった。

さらに、戦時中の1943年11月、日本はアジアの7カ国首脳★(67)を集めて、東京で大東亜会議を開催し、11月6日、「大東亜宣言」が採択された。この宣言の中には、人種差別の撤廃が明確に盛り込まれている。このように日本は、当時の主要国としては唯一と言って差し支えないと思うが、国際社会の場で公式に人種差別の撤廃を一貫して求め続けてきた。日本は、国際社会で人種差別の撤廃を先導してきたのである。

他方、欧米諸国で、19世紀末から黄禍（こうか）論が盛んになるが、その発端はドイツ皇帝ヴィルヘルム2世（在位：1888年6月〜1918年11月）★(68)自身が描いて、ロシア皇帝ニコライ2世に贈った寓意画「ヨーロッパの諸国民よ、汝らの最も神聖な宝を守れ！」だとされている。ヴィルヘルム2世自身はこの寓意画に「黄禍」という言葉を使わなかったが、後にこれが一般に「黄禍の図」

と呼ばれるようになる。これは、日清戦争後の1895年4月、ロシア、ドイツ、フランスによる下関条約に対する三国干渉の直後、その年の秋のことである（飯倉章［2013］,p. 51）。この頃から、日本の台頭と、日本と巨大な人口を有する中国が一緒になって自分たちに対峙してきたら大変だという恐怖感が欧米諸国の間に芽生えてきた。反対に日本では、日清戦争後の講和条約（下関条約）に対する三国干渉に強い不満と反発が、国民の間で高まっていった。

他方アメリカでは、人種差別的な措置の法制化が、20世紀の初めから相次いだ。特にカリフォルニア州でこうした動きが先行した。まず1906年3月、日本からの移民を制限する決議が州議会でなされた。次いで1913年4月、日本人の土地所有を禁止する「ウェッブ＝ヘイニー法」が成立し、さらに1920年11月には、事もあろうに、日本人の子供（米国籍）に対してまでも土地所有を禁止する法律が成立した。さらに止めは、1924年7月1日、米国連邦議会で、「絶対的排日移民法」（ジョンソン＝リード法）が成立（施行）したことである。

日本を代表するような当時の親米派のリーダーたちでさえ、日本を標的にしたこの「排日移民法」が持つあからさまな人種差別と不正義に憤慨した。例えば、クエーカー教徒の新渡戸稲造は、「実にけしからん。アメリカのために惜しむ。僕はこの法律が撤回されない限り、断じてアメリカの土は踏まない」と誓い、度重なるアメリカでの講演依頼を断った（蓑原俊洋［2016］,p. 287）。また、新渡戸は別の機会に、「排日移民法は、私にとって晴天の霹靂に等しく、肺腑をえぐる激痛でした」とまで述べている。

内村鑑三も、「第一、成るべく米国に行かない事。第二、成るべく米国品を使わない事。第三、成るべく米国人の援助を受けない事。第四、成るべく米国人が書いたものを読まない事。第五、成るべく米国人の教会に出入りしない事によって、この〈不愉快極まる問題〉に対する日本人の憤りをアメリカ人に知らしめるべきである」と説いた（蓑原俊洋［2016］, pp. 288-289）。

終戦後の１９４８年に首相となる芦田均（ひとし）は１９２５年に、前年の「排日移民法」を振り返り、「年来吾々が米国に対して示した紳士的態度を無視し、又日本人の米国に対する信頼の念を裏切ったことは、最も不幸な出来事として痛嘆するところ」と述べている（蓑原俊洋［2016］, p. 289）。熱心な親米派として名高い右記の三氏にしてこれであるから、当時、日本国民全般が米国の「排日移民法」に対して、如何に強い義憤を覚えたか理解できるであろう。

われわれが日頃旅行で訪問する際、ヨーロッパでは人種差別的な目に遭うことはほとんどないが、アメリカでは差別されたと感じることがある。その意味で、アメリカは欧米諸国の中でかなり特異な存在である。アメリカはそもそも奴隷制を２５０年間近く★(69)も続けてきた奴隷労働立国から出発したという歴史的な背景から来るのであろうが、率直に言って、アメリカはまだ荒々しさがかなり残っている社会と言えるのではないだろうか。

日露戦争後、アメリカで高まった日本への敵愾心

右記で述べたアメリカにおけるいくつもの排日の動きもそうであるが、基本的には1905年に日本が日露戦争に勝利した後から、米国で日本に対する警戒心・敵愾(てきがい)心が高まっていったようである。セオドア・ルーズヴェルト大統領は、1907年12月から1909年2月まで、グレート・ホワイト・フリート（GWF）と呼ばれる16隻の戦艦から成る白い大艦隊を世界一周航海に出した。ほとんどすべてが新造船で、それを誇示する目的であった。特に、日露戦争に勝ったばかりの大日本帝国に誇示することが一番の目的とされている。1908年10月後半の1週間程度、横浜に寄港した。ヨーロッパの新聞は、日米戦は不可避という趣旨の報道をしたという。日本も、1907年（明治40年）4月4日、「帝国国防方針」を決定し、仮想敵国をロシア、アメリカ、ドイツ、フランスの順に定めていた。

時代はもう少し下るが、ヨーロッパの人たちが日米関係をどのように見ていたか、非常に興味深い記述が、終戦直後、総理大臣を務めた東久邇宮稔彦（1887〜1990年）のエッセイ『やんちゃ孤独』にある（東久邇稔彦［1955］）。東久邇宮は、1920年（大正9年）の半ばから7年間、パリに滞在した。パリに行った初めの頃、滞在先の超高級ホテルであるオテル・ドゥ・ムーリスのマネージャーおよび発泡酒シャンパーニュの製造元であるポメリー社の社長夫人（米国人）から、アメリカはいずれ日本と戦争をすると言われる。フィリップ・ペタン元帥からは、二度目に

会った時、「この前、あなたは日本が日米戦争のことなんか考えたこともないと言ったが、アメリカではお前の国を撃つかもしれないから、よほど用心しなければならない」といわれたという（東久邇稔彦［1955］.pp. 101-103）。そこで、東久邇宮は、すでに知り合いになっていた元首相のジョルジュ・クレマンソー（１８４１～１９２９年）に次に会ったときにその点をよく聞いてみたという。クレマンソーの答えは以下の通りだった。

それは当たり前だ（断言）。こういうことを言っていいかどうか分からぬが、アメリカが太平洋に発展するためには、日本の勢力を取り除かなければならぬのは当たり前だ。フランスへ来ているアメリカの軍部の高官連中は、みんなそう言っている。今回の戦争（第一次大戦）でヨーロッパでは、アメリカの発展のじゃまになるドイツを叩きつけてしまった。今度は、太平洋でじゃまになる日本を、やっつけると言っているよ。

アメリカはまず外交で、日本を苦しめてゆくだろう。日本は外交がへただから、アメリカにギュウギュウいわされるに違いない。その上、日本は短気だから、きっとけんかを買うだろう。つまり、日本の方から戦争を仕掛けるように外交を持ってゆく。そこで日本が短気を起して戦争に訴えたら、日本は必ず負ける。アメリカの兵隊は強い。軍需品の生産は、日本と比較にならないほど大きいのだから、戦争をしたら、日本が負けるのは当たり前だ。それだから、どんなことがあっても、日本が我慢して戦争をしてはならない（東久邇稔彦［1955］,pp. 105-106）。

東久邇宮は厳粛な気持ちで、クレマンソーの話を聞いていたという。これらのフランス人の話は、１９２０年後半もしくは１９２１年初頭の時点だと思われる。クレマンソーとペタンの話は、前段が米国はいずれ日本を叩きにかかる、後段が日本は負けるから我慢しろ、という二段構えである。この話を聞いて、戦後の日本人の多くは、後段の方に注目するのであろう。だから、やはり第二次世界大戦で、日本は何としても我慢すべきだったと考える。しかし私はむしろ、前段の方に注目したい。日露戦争に勝利し、さらに人種差別撤廃運動を国際的に主導していたことから、日本は世界中の非白色人種から称賛されていた。そうした日本に対するアメリカ人の敵愾心と（成功者に対する）嫉妬心、加えて（人種）差別心の強さということであろう。こうした意識が底流にずっとあって、フランクリン・ルーズヴェルト政権の異常ともいえる対日挑発行動につながったのではないだろうか。

ただしここで、クレマンソーについて付言しておきたいのは、パリ講和条約で、ドイツに過大な賠償金を請求することを主導した張本人がクレマンソーだったということであり、何をかいわんやという感じもしないではない。すなわち、第二次世界大戦発生の最大の原因を作った主役が、パリ講和会議で、フランスの首席代表を務めていたクレマンソーなのである。ちなみに、クレマンソーは、第二次世界大戦の発生を見ることなく、１９２９年に他界している。

すでに述べたようにアメリカは、１９４１年7月25日の日本の在外資産凍結から実質的には宣戦布告していたも同然である。これに対し日本政府は、戦争を何とか回避しようと、真剣かつ誠実に努力した。新任の野村吉三郎駐米大使は、１９４１年４月14日から、日米戦争の回避に向けて日米交渉を開始した。それ以降、野村大使はハル国務長官とは60回、大統領とも10回会談を行った。そして、日本の在外資産凍結以降も、日本政府（近衛政権）は対米戦争回避に向けて、以下の通り涙ぐましい努力を行った。

近衛文麿

・８月８日：近衛首相がルーズヴェルトに、洋上首脳会談を提案。
・８月29日：近衛首相がルーズヴェルトに「近衛メッセージ」を手交し、日米首脳の直接会談の開催を再度求める。
・10月３日：野村駐米大使を通じて、ハル国務長官に対して「（日米戦争を避けるためには）日本がどうしたら良いのか具体的に示してほしい」と伝える。
・10月９日：野村駐米大使を通じて、ハル国務長官に対して「（日米戦争を避けるためには）日本がどうしたら良いのか具体的に示してほしい」と再度伝える。

・10月10日（東京）：豊田貞次郎外相が駐日米国大使のジョーゼフ・グルーを呼んで、「（日米戦争を避けるためには）日本がどうしたら良いのか具体的に示してほしい」と打診。

しかし、アメリカ側は誠実に対応せず、11月26日、「ハル・ノート」（"the Hull Note"）を提示した。ルーズヴェルト政権が「ハル・ノート」を最後通牒だと意識していたことは、今日では様々な文書で明らかになっている。前日の11月25日、ルーズヴェルト政権は、ホワイト・ハウスで極めて重要な会議を開催した。集まったのは、ルーズヴェルトに加え、コーデル・ハル国務長官、ヘンリー・スティムソン陸軍長官、フランク・ノックス海軍長官、ジョージ・マーシャル陸軍参謀総長（大将）、ハロルド・スターク海軍作戦部長（大将）の6名であった。

コーデル・ハル

ハミルトン・フィッシュによれば、その会議の議題は、ただ一つ、「如何にして日本に最初の一撃を撃たせるか？」ということであった（Hamilton Fish [1976], p. 144）。そして、その会議で、翌日、最後通牒としての「ハル・ノート」を日本側に手渡すことが決まった。

また、日本がアメリカを攻撃するとすれば真珠湾であることも、少なくとも10カ月以上も前からルーズヴェルト政権に伝えられていた。山本五十六連合艦隊司令長官（海軍大将）は、１９４１年1月半ばには、自分の頭の中では真珠湾攻撃の構想がほぼ出来上がっており、主要幕僚を任命して戦術的な細部を検討させた（ロバート・スティネット［2001（2000）］p. 67）。しかし、どうやらその情報が外部に漏れたようである。複数のソースから情報を得た駐日米国大使のジョーゼフ・グルー（Joseph Grew, １８８０〜１９６５年）は、１９４１年1月27日、コーデル・ハル国務長官あての電報で、米国との紛争が起これば、日本は真珠湾を急襲する計画であることを伝えている。

繰り返しになるが、真珠湾を日本が攻撃したから日米戦争が始まったのでは断じてない。日米戦争は、実質的には、１９４１年7月25日、アメリカが日本の在外資産を凍結したことによって始められた。さらに米国は、同年8月1日に、石油の対日輸出を全面的に禁止した。こうして米国は、日本を経済的にどんどん締め上げて行った。日本としては、この苦境から抜け出すためには、戦争しか道は残されていなかった。南方に石油を求めて進出して行かなければならないが、そうなればアメリカと対決することになる。

共産主義に対する理解が著しく乏しく、それも一種の民主主義だと錯覚していたルーズヴェルトがソ連と組んでドイツと日本を叩くと決めたために戦争が始まったのである。当時、日米交渉に当たっていた日本政府の人たちは、言いようのない理不尽さを感じていたに違いないと、私には思われる。平たく言えば、日本政府は、まるで、「たちの悪いギャングに睨まれた堅気の市民」のようである。ここで、「ギャング」と言っているのは無論、ルーズヴェルト政権のことである。とにかく最初の一発を日本に撃たせるために、ありとあらゆる手段で追い込んでいった。そしてルーズヴェルトは、なんと真珠湾の前日の12月6日、昭和天皇宛てに、和平を願うとする内容のない空虚な電報を送っている。自分は戦争を回避したかったのだという証拠を残しておきたかったのである。巨大な欺瞞(ぎまん)と言うしかない。強い憤りを禁じ得ない。

★(66) 第一次大戦の結果、日本がドイツから獲得した山東省(膠州湾、青島)のドイツ租借地および山東鉄道の中国への返還が決められた日本と中華民国との間で結ばれた「山東還付条約」のこと。1922年2月4日締結、同年6月2日に発効。1921年11月12日から1922年2月6日まで開催されたワシントン軍縮会議の中で、米英両国の仲裁によって、山東還付問題が協議されることになった。日清戦争後の1885年4月の「三国干渉」を思い起こさせるような日本に対する欧米列国からの干渉であった。

★(67) 7カ国は、日本、中華民国、タイ、満州国、フィリピン、ビルマ、インドである。

★(68) 英国のヴィクトーリア女王とフリードリッヒ王子(プロイセン王の甥)との間に、ベルリンで生まれた長男。

★(69) 北米でアフリカ人奴隷の記録が最初に出てくるのは1619年であり、他方、奴隷制が合衆国憲法修正第13条によって禁止されたのは、1865年のことである(山下 [2015], pp. 92-93)。

第４節　リヴィジョニストだとの批判にどう答えるか

以上見てきたように、私は本書で、いわゆる戦勝国史観（ＧＨＱ史観）を根底から覆すような主張を展開してきた。こういう主張をすると、従来からの戦勝国史観をまだ信じている人たちからは、通常それは「リヴィジョニスト」（revisionist）だというふうに批判される。歴史認識問題について、リヴィジョニスト（revisionist）だと批判されると、それだけで何か後ろめたいとか、議論に負けたと感じてしまう人が多いようである。学者・識者にも、政治家にも、官僚にもそうした人が非常に多いのに驚かされる。こうした人々は、「そのような議論をするとリヴィジョニストと呼ばれるから止めにしておこう」とすぐ考えてしまうようである。しかし、それでは、いつまでたっても日本を巡る状況を変えることは不可能である。

そもそもこの種の議論については、明らかにわれわれに理があり、敢然と反論すべきである。スローガン的に平たく言うとすれば、「怯むな！」、「恐れ入るな！」、「シュンとするな！」、「逆にチャンスと思え！」、「ロジックで堂々と勝負しろ！」ということである。当然のことながら、論理的・科学的必要に応じて、歴史の見方を修正することに関しては何らやましいところはない。われわれは歴史的事実を踏まえ、あくまでも科学的に判断した上で、従来からの歴史観を否定しなければならないと考えるのである。換言すれば、われわれは、あくまでも科学的姿勢に徹するが故に歴史認識の修正を求めるのである。

リヴィジョニストであるとの批判の背景

戦後、連合国によって確立された第二次世界大戦に対する歴史的評価が絶対視され、それから外れた歴史観は、歴史修正主義（historical revisionism）もしくは、単にリヴィジョニズム（revisionism）、そうした歴史観を持った人はリヴィジョニスト（revisionist）と呼ばれ批判されてきた。戦勝国史観（日本では東京裁判史観もしくはＧＨＱ史観）の人たちが、われわれのような「脱ＧＨＱ史観」を持った人間に対して与える一種の蔑称として使われてきた。

しかし、リヴィジョン（revision）は、本来、良い意味のはずである。いかなる分野においても、リヴィジョンなくして進歩はありえない。リヴィジョンを否定することは、進歩を否定することに他ならない。

一般的に、歴史の正しい評価は少なくとも１００年は経過しないと固まらないと言われるが、いま現在、第二次世界大戦が終了してから78年しか経っていない。したがって、いま新たな歴史的評価・解釈が出てくるのは、至極当然のことである。新たに発見された歴史的事実だけでなく、新たな歴史的解釈もまた尊重され、アカデミックな議論の俎上に載せられるべきである。今年は第一次世界大戦の終了から105周年に当たるが、いまだに、同大戦に関する歴史的評価でさえも、収斂しているとは言い難い状況である。むしろ、第二次世界大戦の歴史的評価について、今後数十年間、様々な新しい見方が次々に生まれてくるであろう。特に、第二次世界大戦の発生要因について、これまでに一般的に受容されている分析は、筆者にとって物足りないこと甚だしい。

新たに歴史的事実が発見された場合以外、リヴィジョンを一切認めないとする彼らは、あたかも、「自分たちは歴史の森羅万象をすべて知り尽くしており、それを基にすべてについて絶対的に正しい歴史の判断を下しているのだ」とでも言っているかのようであり、そもそも姿勢が不遜極まりない。また、極めて非科学的な態度であると言わざるを得ない。何人たりとも、歴史の森羅万象を知り尽くすなどということはありえない。

どのように論戦すべきか

そのように彼らが自らを正当とし、われわれを異端として蔑(さげす)むように、リヴィジョニストのレッテル貼りをしてくるような場合には、決してそのまま捨ておくべきではない。彼らの主張に恐れ入ることなく、また怯むこともなく、直ちに敢然と反論すべきである。

この議論は明らかにわれわれに理がある。この論戦では、ロジックの上では必ずわれわれが優位に議論を展開できるはずであり、自信をもって論戦に臨むべきである。彼らを正当とし、われわれを異端とする構図（決めつけ）には断固として反論し、正面からそうした構図を覆すべきである。

自由な社会における開かれた心の人間にとって重要なのは、適切な改定（revision）を常に求めていく姿勢である。特にわれわれ研究者は、真実の探求者（inquirer）なのであり、そもそもリヴィジョンを求め続ける存在である。他人をすぐにリヴィジョニストと呼びたがる人たちは非科学的（unscientific）であり、真の知識人の行動とは言えない。われわれは常に真実の探求者であり、その意味ではなるほどリヴィジョニストであるかもしれない。しかし、言葉の本来の意味の、そして良い意味のリヴィジョニストである。

他方、われわれをリヴィジョニストと呼ぶ彼らが、一切の改定を認めないというのなら、私は彼らを「守旧派」（old guards）もしくは「固陋（ころう）なる守旧派」（"bigoted old guard"）と呼ぶことにしたい。あらゆる進歩を否定する者には、「固陋なる守旧派」という呼び名が相応しい。

歴史認識問題に関する中国や韓国の主張も、基本的には戦勝国史観をベースとしたものであり、その意味で、われわれにとって歴史論戦の主敵はアメリカである。「米国＝正義／日本＝悪者」という第二次世界大戦の構図そのものを根底からひっくり返す必要がある。すなわち、「マクロ的歴史認識の大逆転」(systemic reversal of historical awareness）もしくは「ビッグ・ストーリーの歴史観の大逆転」である。近年、世界のいたるところでアメリカの正義が問われており、アメリカ批判の種には事欠かない。多くの日本人は、これまで、アメリカ批判を控えてきたところがあるが、日本人も一度、アメリカ社会やアメリカ人の公正性（fairness and impartiality）の欠如・欠陥や数々の欺瞞を徹底的に批判の対象にすべきではないだろうか。それが日本のため、国際社会のため、そしてアメリカ自身のためでもある。

すでに述べたように、私は、われわれをリヴィジョニストとレッテル貼りする人たちを、「守旧派」もしくは「固陋なる守旧派」と呼ぶべきと主張してきた。しかしそれは、ある程度のレヴェルに達している人たちに対してであり、韓国や中国などをはじめとして、慰安婦問題や南京問題など歴史の捏造をベースとして主張してくるような人たちに対しては、そうした呼び名すら相応しくない。そうした人たちに対しては、「歴史捏造者」（“historical fabricator”もしくは“historical forger”)、あるいは単に、「ファブリケイター」（“fabricator”）とか「フォージャー」（“forger”）という呼び名が相応しいのではないだろうか。

第5章

真の意味の国の独立なくして日本の蘇生なし

歴代の総理大臣で、「日本は真の独立国を目指す」と言った人は誰もいない。歴とした独立国を目指そうという政党もなかった。本来なら、例えば「日本独立党」などという政党があって然るべきである。保守系の多くの人々は、今の日本が本当の独立国ではないことは大体分かっていると思う。しかし、ほとんどの人は独立に向けた行動を何も起こそうとしない。自分の国が真の独立国でないと思ったならば、真っ当な愛国者なら、何か自分ができることをやらなければいけないのではないだろうか。さもないと、事態は何も変わらない。今の日本が抱えている国家的な課題のほとんどすべては、わが国が歴とした独立国にならなければ何も始まらないということばかりである。

第1節　何はともあれメディアの告白・懺悔

すでに述べたように、日本がいまだに真の独立国ではないのは、約90％の国民がまだGHQの洗脳から脱していないからである。したがって、日本の真の独立のために何がなされねばならないかというと、何はともあれ、大手メディアがＧＨＱの言論統制に加担させられた事実について、国民に向けて告白・懺悔すべきということである。

大手メディアは、ＧＨＱの非常に厳しい言論統制があった事実についていまだに、社説で告白・懺悔していない。江藤淳が生前語っていたところによれば、唯一の例外は、読売新聞の１９９７年3月30日付の社説である。社説は通常1日２本であるが、「憲法施行50周年記念」の年ということで、その日は1本仕立てにした長めな社説であった。そのタイトルは、「言論管理下の戦後の民主主義」となっている。「言論管理下」という表現は、実態に比して表現が余りにも穏やか過ぎる。ＧＨＱ統治下で、戦前戦中にも増して極めて厳格な言論統制があったわけなのであるから、本来は「非常に厳しい言論統制下の戦後の民主主義」と表現すべきだったと思う。読売新聞は一応ここで、言論統制の告白はしているのであるが、懺悔はしていない。つまり、反省はしていないということである。

それ以降長年、社説で言論統制について触れた新聞はなかったのであるが、産経新聞が２０２２年4月28日、主権回復70周年の日に、やはり1本仕立ての長めの社説を掲載した。タイトルは、「占領の呪縛を解くときだ――ウクライナの悲劇から学べ」である。日本人がいまだにＧＨＱの呪縛に囚れていることについて述べ、それから脱しなければならないという趣旨の社説を掲載してくれたことは、半歩前進と評価しなければならないと思う。言論統制がなされ、またその事実が秘匿されたことについても触れている。しかし、ＧＨＱに洗脳されたという表現は避けている。その点については是非、明確に述べてもらいたかった。さらに、ＧＨＱの洗脳計画に加担させられたことについて、告白・懺悔してほしかった。ただしいずれにせよ、社説でＧＨＱの言論統制について触れたのは、主権回復から71年を経た今日でも以上の２本だけだと思われる。

メディアによる告白・懺悔は、１回限りということではなく、告白シリーズを継続的に出すような形でしてほしいものである。そのぐらいのことをしないと人々の頭の中にこびりついた洗脳から脱することは難しい。結局、サン・フランシスコ講和条約が発効した日である（１９５２年）4月28日を国の独立記念日としなかったことが大きな間違いだったのである。その意味で、私はこの日を「悔恨の独立記念日」と呼んでいる。大手メディアは、毎月28日をあたかも月命日のように、告白・懺悔シリーズを掲載し続けるべきではないかと私は考える。

当時は、占領軍によって強制させられたわけであり、実際に協力させられた人たちに罪はない。講和条約が発効した後も、ＧＨＱ時代の洗脳・言論統制があたかもなかったかのように、何もしないで済ませてきたＯＢや今の現役のジャーナリストに罪がある。告白しないとしたら、読者もしくは視聴者のみならず、日本国民全体に対する大きな罪の上塗りを続けることになる。その意味で、大手メディアは国民に対して、巨大な負債を抱えていると言える。負債は速やかに返済してもらいたいものである。大手メディアの告白・懺悔というプロセスを抜きにして、日本は決して歴とした独立国になれない。つまり、いわばこれは日本が独立国になるための必要条件である。ただし、それをやったとしても独立国になれるかどうかは、まだ分からない。すなわち、十分条件ではないかもしれないが、少なくとも必要条件であると思われる。

ところで、朝日新聞が慰安婦問題について、２０１４年の8月5日と6日に2日連続して、長年にわたる誤報を認め、非常に長大な報道をしたが、本書で問題にしているテーマは、慰安婦問題という個別の問題ではなく、国全体の歴史観にかかわる遥かに重要な問題である。朝日新聞の慰安婦問題に関する謝罪記事を遥かに上回るような大規模な特集記事から始めるべきである。慰安婦問題の嘘を長年にわたって報道し続けた朝日新聞と、長年にわたって洗脳の事実を隠してきた大手メディアのどちらが大きな問題かというと、明らかに後者の方が比べ物にならないほど、国と日本人にとって重要な問題だと考える。その意味で、メディア各社は是非、非常に長大なプロジェクトを展開してほしいものである。

自国に対する忠誠心を奪われ、ＧＨＱによる言論統制の共犯者にさせられた大手メディアが告白・懺悔すれば、令和の時代になってようやく始まる、あるいは明治維新以来、初めて始めることになるわが国の独立運動の嚆矢（こうし）となるであろう。

ＧＨＱとの共犯という意味で最も罪深いメディアはＮＨＫと朝日新聞である。究極的には、この両社の告白・懺悔が不可欠である。特にＮＨＫは、自分たちの本部にＧＨＱの洗脳部隊と検閲部隊に乗り込まれて、いわば彼らの洗脳部隊兼検閲部隊の本部にさせられたわけであり、告白・懺悔しなければならない最も大きな義務を背負っている。

実は私は、籾井(もみい)勝人(かつと)氏がＮＨＫの会長をされておられた２０１５年の元旦の日付で、、ＮＨＫがＧＨＱの洗脳に協力させられたことを告白・懺悔すべきだとのレターを送付したことがある。全く面識はなかったが、籾井さんなら少し脈があるかもしれないと考え、思い切って行動に移してみた次第である。残念ながら籾井氏からは何の反応もなく、籾井氏ご本人に届いたかどうかさえも確認できないままである。私信であるが、籾井氏は何年も前にＮＨＫの会長職を外れたことでもあり、ご参考までにここに全文を示しておくこととしたい。本来なら、ほかのすべての大手メディアにも、同じ趣旨の手紙をお送りしたいところであるが、本を上梓する機会に、この手紙をここに掲載し、多くの方のご参考に供することにしたい。

２０１５年１月１日

ＮＨＫ会長

籾井勝人　様

拝啓

初めてお便りさせていただきます。私は、国際経済学者（専門＝国際通貨論）ですが、日本の近現代史の見直しの必要性を大変強く認識いたしております。ＮＨＫの一部のＯＢの方々は、新会長のご就任を苦々しく思っておられるようですが、われわれは、籾井会長によって、ＮＨＫの歴史認識が大きく転換され、それに伴って、番組内容が大きく変わることを期待いたしております。

そこで、貴協会に対しまして、私からそれに向けた一つの大きな提案があり、筆をとらせていただいた次第でございます。

わが国の多くの国民が、今日に至るまで、極端な自虐史観を持つに至り、その結果、自らの国を貶めるような行動をとる輩が多数存在することになってしまったのは、言うまでもなく、戦後、ＧＨＱによる徹底的な洗脳作戦が展開されたためでございます。具体的には、ＧＨＱ参謀第２部（Ｇ２）民間情報局（ＣＩＥ、局長＝ケネス・ダイク大佐）による「戦争犯罪情報プログラム」（War Guilt Information Program, ＷＧＩＰ）に基づいて、日本人に対して戦争犯罪を植え付けるための徹底的な洗脳作工作が展開されました。詳細につきましては、添付の拙文「来たるべきアメリカとの歴史論戦」をご参照いただければ幸いですが、新聞、ラジオ、映画などあらゆるメディアに対する洗脳工作が、内幸町にあったＮＨＫの建物に陣取ったＧＨＱ／ＣＩＥによって行われました。

ＮＨＫの場合は、１９４５年12月9日（日）から、ＣＩＥが企画した番組『真相はかうだ』のラジオ放送が開始されました。その後、同番組終了後も、『真相はかうだ　質問箱』、『真相箱』、『質問箱』、『インフォメーション・アワー』と、立て続けに、占領が終了するまで、徹底的な洗脳が展開されました。新聞の場合は、日米開戦日にあたる１９４５年12月8日から10日間にわたって、ＣＩＥ企画課長のブラッドフォード・スミスらが執筆した『太平洋戦争史』（本文１５８ページ）の全文が、大新聞各紙に、毎日全2ページを使い、10日間にわたって連続的に掲載されました。このように、ＧＨＱの洗脳工作は、日本人の頭の中にまるで絨毯爆撃のように、徹底して繰り広げられました。

また、メディアに対する検閲も、戦中にもまして徹底的に行われました。これは、ＧＨＱ／Ｇ2の民間諜報局（ＣＩＳ）民間検閲支隊（ＣＣＤ）が担当しました。すなわち、洗脳部隊はＣＩＥ、検閲部隊はＣＣＤが、それぞれ担当しました。新聞、ラジオ、映画等々はすべて事前検閲され、また、出版については、禁書（焚書）も、７，０００点余りに達しました。ＧＨＱの日本統治は、基本的には間接統治でしたが、洗脳と検閲に関しては、ＧＨＱによる直接統治が行われたのです。

然るに、日本のメディアは、今日に至るまで、こうした事実をほとんど国民に知らせてきませんでした。江藤淳によれば、日本の大新聞が、ＧＨＱによる検閲を社説で認めたのは、１９９７

年3月30日付の『読売新聞』が初めてだと言います。実に、戦後、50年以上が経過した時点です。その社説のタイトルは、「言論統制下の〈戦後民主主義〉」というもので、本信に同封させていただきました。

しかしながら、これだけでは、全く不十分です。敗戦下で強制されたのですから、当時のジャーナリストには、責任はありません。この件に関して、責任があるのは、現役のジャーナリストの方々です。それも、日々、読者や視聴者に対して不作為の罪を積み上げ続けていることになります。国民に対する大いなる不作為の罪と言わねばなりません。

このように巨大な罪を積み上げてしまった日本のメディア各社ですから、今後、一回限り、この問題を報道するというぐらいではとても、罪滅ぼしにはなりません。今後、毎月、あたかも「月命日」のように、然るべき記念日に、大特集を継続的に組むぐらいのことをしていただきたいと考えます。新聞各社の場合には、「太平洋戦争史」の掲載が始まったのが12月8日ですから、「月命日」は8日でしょう。NHKの場合には、『真相はかうだ』が始まったのが12月9日ですから、9日を「月命日」としては如何でしょうか。すなわち、毎月9日に、GHQによる洗脳工作の実態を伝える大特集を報道し、それをしばらく続けるということです。それが実現すれば、日本国民の自虐史観はかなりの程度是正されることになると信じます。

以上、よろしくご検討のほどお願い申しあげます。

なお、昨年の第7回「近現代史観」懸賞論文（アパ日本再興財団主催）に入選した拙文「来たるべきアメリカとの歴史論戦」のコピーも、この機会に同封させていただきます。

敬具

大阪市立大学 名誉教授・経済学博士
山下英次

第2節　独立国の「三種の神器」と日本の防衛政策に関する3つの神話

第2章第2節で述べたように、深刻な問題をいくつも抱えている現行憲法であるが、それではこれをどのようにすべきであろうか？　現行憲法は基本的な構造自体が間違っており、私としては改正で対応できるようなものではないと信じる。したがって、一旦、無効というか破棄にすべきではないだろうか。すなわち、「憲法無効論」、「憲法ヴォイド論」もしくは「憲法破棄論」である。憲法を破棄して、しばらくそのままやってみて、どうしても問題が出てきたら、今度は憲法制定国民会議を招集し、わが国の国体・国柄、歴史・文化・伝統に相応しい憲法を一から創り上げてはどうであろうか。イギリスのように、成文憲法がない国もある。例えば、日本と国柄の全く異なるアメリカの場合、国民の間で共有される常識の範囲がかなり狭いために、何でもかんでも法律で決めておく必要がある。

それに対し日本は、国民の間で共有されている常識の範囲がかなり広い国であることから、本来、不文憲法でも良いかもしれない。明治憲法は、近代的な国家であることを欧米に認めてもらう必要があったために成文憲法を作らなければならなかったという面もあるのであろう。また、突き詰めれば、日本の場合そもそも国体が不文憲法だと言えなくもない。ＧＨＱの圧力で戦後、事実上タブー化された『国体の本義』（昭和12年、１９３７年）をこの際、広く国民に読んでもらう必要もあるであろう★(70)。『国体の本義』は、あくまでもこれを書いた人たちが考える国体（polity）であって、必ずしも決定版ではないのかもしれないが、まずこれを読まなくては始まらない。

私の言う独立国家の「三種の神器」のうちのほかの２つは、スパイ防止法を伴った統合された国家情報機関と自衛隊の国防軍化であるが、これらも国会で速やかに決めてもらいたいものである。日本を取り巻く国際環境は、すでに待ったなしの状況である。

現在の日本の防衛政策は、３つの神話というか、３つの錯誤をベースとしているが、これらも改めねばならない。現状では、まず自主防衛（自衛隊）と同盟関係（日米同盟）が主客転倒している。つまり、米軍が主で自衛隊が従となっているが、これは本来逆でなければならない。これは自衛隊の国防軍化と密接に関連している。

「専守防衛」は、憲法第９条という現実離れしたものから派生したものなので、その派生物も現実離れしていて、国防政策として決してワークしないものである。一日も早く、かなぐり捨てるべきである。「核の傘」などというものも、すでに述べたように全くの神話である。核抑止力というものは、核兵器を持った者同士のバイラテラル（２国間）な関係においてのみ機能するものであり、核保有国が、第3者である非核保有国のための核抑止を保障できるものではない。アメリカは今は「拡大核抑止」(Extended Nuclear Deterrence) なる概念を持ち出してきているようであるが、率直に言って、それは全くのまやかしである。わが国も核抑止力を持たなければならないとしたら、自ら核兵器を持つしかない。特に日本は、核兵器保有国に周りを囲まれているわけであり、それ以外の選択はあり得ないであろう。

★(70) 筆者としては、『国体の本義』の解説本としては、佐藤優（著）『日本国家の神髄―禁書〈国体の本義〉を読み解く』（扶桑社新書、２０１５年1月）をお勧めしたい。

第3節 「新冷戦」下における「インド太平洋戦略」と新しい日米関係づくり

独立と言うと、今後のアメリカとの関係を心配する人がいるかもしれない。しかし今は、これまでのようにアメリカの陰に隠れていれば済むという時代ではない。日本は現在、中国からの脅威に直面しており、歴史的に見ても非常に大きな国難に遭遇している。日本民族の命運をアメリカの判断に委ねるわけにはいかない。日本の政治家、官僚、学者はアメリカに積極的に政策提案していくことが肝要である。アメリカからも、ジョンズ・ホプキンズ大学高等国際関係大学院（ＳＡＩＳ）のハル・ブランズ（Hal Brands, １９８３年〜）教授は、「日本が強くならなければならない」と言っている★(71)。

これまでマイケル・グリーンやジョーゼフ・ナイ、リチャード・アーミテージなどといったジャパン・ハンドラーたちは、はっきりいうと、日本に独自の外交政策を取らせまいとしてきた。換言すれば、日本を独立国にさせまいというのが彼らの基本政策であったわけである。日本も基本的に異議を唱えずにきてしまったが、もはやそういう時代は完全に過ぎ去った。真の独立国になることが、今の日本にとって最大の国家的課題である。日本は強い意志を持って明治維新の人々が独立国を目指したように、国の独立を目指すことが重要である。アメリカ合衆国からの独立、別の言い方をすれば、それは、「ＧＨＱ洗脳によって染みついた日本人（自分自身）の間違った観念（偏見）」からの独立である。

ハル・ブランズ教授は、20世紀における米国の最大の同盟国はイギリスであったが、21世紀における最大の同盟国は日本だととらえている。アメリカも一国で中国と対峙できないことは明らかである。インド太平洋戦略は、ＱＵＡＤ（米日豪印の４カ国）でやるにしても、アメリカにとって本当に頼りになるのは日本である。従来は、日本を弱いままにしておこうとする「ウィーク・ジャパン」（“Weak Japan”）政策をとってきたが、それでは米国としても立ち行かなくなってきたのである。今後は、アメリカにはっきりと「ストロング・ジャパン」（“Strong Japan”）政策に切り替えるよう、日本としても積極的にアメリカを説得していくことが重要である。

現在の日本の地政学的現状はどうかというと、「前門に虎３匹（中国、北朝鮮、ロシア）、後門に狼１匹（米国の政策失敗リスク）」という事態に直面している。前門の虎３匹は、全員核武装している。また、後門の狼、すなわち米国の政策失敗リスクも非常に厄介な問題である。米国は、これまで重要な節目節目で、外交政策をかなり間違えて来た。わが国は様々な段階で、アメリカに対して取るべき政策を積極的にインプットしていかなければならない。

しかも、日本はさらに、以下の3点の可能性についても起こるかもしれないと考えておいた方が良い。第1に、アメリカはいずれ中国と何らかの手打ちをして、西太平洋から撤退するという可能性も否定しきれない。第2に、そもそも米国自身が内部崩壊する可能性すら出てきた。第3に、米国は実は、第二次世界大戦後、戦争（熱戦）に負け続けているということもある。アメリカは世界最強の軍事力を誇るが、意外にも現実には、第二次世界大戦終結以降に関与した数々の戦争で敗北し続けているのである。

米国戦略国際問題研究所（ＣＳＩＳ）顧問のハーラン・ウルマン（Harlan Ullman, １９４１年〜）は、第二次世界大戦後、アメリカが明確に勝利した戦争は、ジョージ・ブッシュ（父）大統領の下で行われた１９９１年の第一次湾岸戦争だけであると述べている（ウルマン［2019（2017）］）。戦略国際問題研究所上級顧問のエドワード・ルトワック（Edward Luttwak）も、第二次大戦終了後、アメリカは熱戦に負け続けていると指摘している（ルトワック［2019］,pp. 155-159）。アメリカがなぜ戦争で負け続けるのかに関する分析については、現在、米国防総省傘下の国防総合大学（National Defense University, ＮＤＵ）ドゥワイト・アイゼンハウアー校の教授であるドナルド・ストーカーの著書が詳しい（Donald Stoker［2022（2019）］）。

これは、軍隊が弱いということではなく、おそらく、重要な節目節目で、大きな政策（含む外交政策）を間違えるためと考えられる。だからこそ日本は、アメリカに取るべき政策、特にアジアにおいて取るべき政策について、積極的にインプットしていくことが極めて重要なのである。むしろ、この地域におけるアメリカの政策をナヴィゲイトしていくというぐらいの気概と姿勢が必要とされるのではないだろうか。

★（71） Hal Brands, Japan, 'A Sleeping Giant of Global Affairs. Is Waking Up' ,Asharq Al-Awsat, Oct. 7, 2021

第4節　共産主義への警戒を常に怠るな

これまで見て来たように、第二次世界大戦をきっかけに、ヨーロッパでもアジアでも共産主義者が大きな影響力を持ったということである。資本主義のチャンピオンであるアメリカのカリスマ指導者が、こともあろうに共産主義者に肩入れしたために大きな捻れ現象も起こってしまった。戦後、長く続いた東西冷戦は、１９９１年12月、西側の勝利に終わったが、ＮＡＴＯの行き過ぎた東方拡大など、その後の対ロシア外交政策が失敗したこともあり、ウクライナに見られるように、近年かなり不安定な状況になっている。

自由主義世界としては、今後も共産主義への警戒を怠るべきではない。共産主義者は、長期的に目標を立て、あらゆる手段を使って、着実に進んでくる。敵ながら感心させられる面も否定できない。すでに述べたように、ルーズヴェルトとチャーチルは、大筋で１９２０年12月の「レーニンの基本準則」の狙い通りに動いてしまった。第3章第1節でみたように、戦後、日本におけるＧＨＱ洗脳活動の手本は、中国共産党の延安モデルである。その延安モデルは、毛沢東の思想をベースに、あらゆる困難を乗り越えて、日本兵捕虜の洗脳に力を注ぎ込んだ成果である。

イギリス生まれの学者で反共主義者のフリーダ・アトリー（Freda Utley, １８９８～１９７８年）は、著書『中国における最後のチャンス』（*Last Chance in China*, 1947）で、日中戦争開始直後の１９３７年７月、毛沢東が部下に与えた指令を紹介している。少々長くなるが、非常に興味深いので、引用しておきたい。なお、ウェデマイヤー将軍も彼女の文章を引用しており、以下の文章は、ウェデマイヤー回顧録（下）の訳本からの引用である。

中日戦争は、わが中国共産党にとって、党勢拡張のための絶好の機会を提供している。わが党の一貫した政策は、その精力の70％を党勢拡張に、20％を国民党との取引に、残る10％を日本軍に対する抵抗に振り向けることである。この政策を実行するうえで、３つの段階がある。

その第一は、妥協の段階であり、われわれは、表面的に中央政府（国民政府）の命令に服従し、三民主義を守っていることを示すために、自己を犠牲にしなければならないが、実際にはこの自己犠牲は、わが中国共産党の存立と発展を図るためのカムフラージュの役を果たすはずである。

第二は、闘争の段階である。２、３年の期間を、わが党の政治と軍事力の基礎を築くために当て、ついには、中国共産党の政治力および軍事力が国民党と対等となり、国民党を打倒し、国民党の勢力を黄河以北の地域から駆逐するまで発展させねばならない。非常事態の発生を期待する一方、われわれは、日本侵略軍に対して、ある程度の譲歩を行うべきである。

第三は、攻勢の段階である。わが部隊は中国の中央部に深く進出して、国民政府軍の交通線を各地で分断し、政府軍部隊を中国各地に分散隔離して、ついには、中国の主導権を国民党の手から奪い取るため、反攻態勢をとる用意を整えねばならない（ウェデマイヤー［1997（1958）b］,pp. 120-121］）★(72)。

どうであろうか。長期戦を見据えた長いタイム・スパンの下における非常に周到な計画で恐れ入る。ところで、これは、おそらく盧溝橋事件（１９３７年７月７日）の直後、毛沢東が部下に発した指令だと思われるが、やはり同事件は共産党が起こしたものであることを側面から示唆するものではないだろうか。盧溝橋事件で日中戦争を引き起こし、その後、大筋でこの指令のシナリオ通りに日中戦争が進行し、自分たちは極力日本と戦わずに、蒋介石軍を正面に立たせて疲弊させ、最終的には中華人民共和国の誕生にまで漕ぎつけた。ただし、ここでもルーズヴェルトとマーシャルが酷い間違いをしなければ、中国共産党の夢は実現できなかったであろう。

ところでアメリカでは、大学教員のほとんどは左翼になってしまったようである。グレッグ・

ルキアノフとジョナサン・ハイトの共著『傷つきやすいアメリカの大学生たち』（２０１８年）によれば、元々大学教員には左翼が多かったが、かつてはせいぜい「２：１」〜「４：１」程度だったという。しかし、２０１６年には、社会科学系の平均で「10：１」★(73)もしくはそれ以上になっているという（ルキアノフ＆ハイト［2022（2018）］,p.161）。現在では、両者の比率はもっと大きな隔たりがあるかもしれない。

２０２１年5月、米国宇宙軍（２０１９年12月設立）のミサイル警報大隊所属の中佐マシュー・ローマイヤー（Matthew Lohmeier）が、米軍内でマルクス主義が支配的になっていると警鐘を鳴らす本『抵抗できない革命――マルクス主義の目的は米軍の征服と解体』を自費出版した（Lohmeier,［2021］）。この本の内容を踏まえ、podcast でもコメントを書いたところ、ローマイヤーは、司令官（少将）によって解任された。彼は同年9月、すでに除隊した。テッド・クルーズをはじめとする保守派議員が彼の解任を批判している。ローマイヤーは、２００６年に空軍士官学校を卒業したエリートである。いずれにしても、米軍内でマルクス主義が支配的になっているとしたら、それは非常に憂慮すべき事態と言わねばならない。

日本の場合にも、すでに述べたように、ＧＨＱが作った機関ではいまだに共産党が支配しているところも少なくないし、また全般的にポリティカル・コネクトネスを訴える人たちとその背後に、左翼の積極的な活動があるようである。共産主義者も、流石（さすが）に、日本で大革命を起こすことは難しいとみているのであろうが、政治家、官僚など社会の支配層に浸透して、足元から日本社会を徐々に衰えさせようとしているかのようである。特に家族を破壊することを鍵としているようであり、彼らは、こども家庭庁の創設（２０２３年4月1日）や２０２３年6月23日に発効した「ＬＧＢＴ理解増進法」の成立を積極的に推進してきた。また、教科書問題についていえば、数年前、左翼系学者が日本学術会議を舞台に歴史教科書に偉人をなるべく取り上げないように運動を展開したことも記憶に新しい。

あるいは一例を挙げれば、九州の海岸地帯の土地をいま中国人が買収しているそうである。彼らは非常に長期的な視野から、いざとなれば日本への中国軍の上陸拠点にしようとしているのかもしれない。無論、彼らの計画がすべて成功するとは限らない。その際たるものがソ連の崩壊であるが、長期的な計画を立て粘り強く着実に実行して行こうとする姿勢は確かなようであるので、くれぐれも警戒を怠らないようにしたい。

★(72) 原著では、Utley［1947］.pp. 194-195。
★(73) ただし、経済学の場合には、この比率は「４：１」だとしている。

第５節　戦勝国史観を覆す主張の対外的な展開を

本書は戦勝国史観を根底から覆す主張をしてきたわけであるが、こうした主張を国際的に、論文やスピーチの形で展開していくことが重要である。私は２０１８年から２０１９年にかけて、スイスのジュネーヴ、イスラエルのテル・アヴィーヴ、米国ニューヨークの３カ所で、こうした主張のスピーチをしてきた。

まずはじめは２０１８年８月、ジュネーヴ国連の人種差別撤廃委員会（ＣＥＲＤ）においてであった。人種差別撤廃委員会の日本審査が２日間にわたって開催されたが、そのうち、ＣＥＲＤ委員たちとわれわれＮＧＯとの比較的小規模な会合において、「日本の人種差別撤廃提案１００周年に向けて」と題して、ショート・スピーチを行った。日本の人種差別撤廃提案１００周年を翌年に控えていたことを踏まえたものであった。このテーマで私が話をすると、自然に、「連合国（米英）＝善、日本＝悪」という構図が完全に逆転し、「日本＝善、連合国（米英）＝悪」とすることになる。

この時は、質疑応答の時間はなく、言いっぱなしの形に終わったが、後日、関係者からCERD委員会の内部で私の発言に対するかなり強い反発があったことを聞いた。国連の人権関係の委員会は、どの委員会もそうであるが、ほとんど左翼の人たちによって占められている。この時のCERD委員の中にも、慰安婦問題に関するあの悪名高い国連「マクドゥーガル報告」（1998年）を書いた米アトランタ出身の女性ゲイ・マクドゥーガルと、元・挺対協の共同代表で、元・ソウル大学教授の鄭鎮星（チョンジンソン）といった最左翼で反日の人が含まれていたので、戦勝国史観を根底から覆すような私の主張に委員会が反発したのは当然のことであろう。私としては想定内のことであり、当然のことながら、そうしたことに怯むつもりはない。

第2番目の機会は2018年12月、イスラエルのテル・アヴィーヴ大学で開催されたイスラエル日本研究学会（IAJS）における私の学会報告であった。毎年1回3日間にわたって、日本だけを対象として開催されるIAJSの国際シンポジウムである。アジアからは余り多く参加していなかったが、欧米からはたくさんの学者（主として日本研究者）が来ていた。私の報告テーマは、「日本の人種差別撤廃提案100周年——日本のパイオニア的な努力のプリズムを通じて近現代史の真実をレヴューする」というものであった。当然のことながら、これも、戦勝国史観（東京裁判史観あるいはGHQ史観）を根底から覆す内容である。ジュネーヴ国連の際は、質疑応答の時間がなかったが、このイスラエルの場合は学会報告だったので、私を含めて数人が同じセッションで報告した後、質疑応答の時間があった。学会なので左翼的な人たちが圧倒的に多く、戦勝国史観を根底から覆すような私の歴史観が気に入らない人たちが明らかに多かったようで、私は随分敵対的な質問を多く受けた。

圧倒的にユダヤ系の学者が多かったと思うが、日本人には随分お世話になっているはずのユダヤ人にしてこれほどまでに反日だとは、正直に言って少々落胆した。近現代の日本の歴史というと、帝国主義とか軍国主義とかいうようなステレオ・タイプ的な見方が彼らの頭の中にこびりついているのかもしれない。

第３回目の機会は２０１９年９月、ニューヨークのロウワー・マンハッタンにあるキングス・カレッジで開催された米ミーゼズ研究所（本部＝アラバマ州オーバーン）主催のリバタリアン・スカラーズ・コンファレンス２０１９における学会報告であった。テーマは、本書の第２章のテーマそのものであり、「ＧＨＱが戦後日本に仕掛けた巨大な洗脳の檻――小野田寛郎さんを除いてすべての日本人が洗脳された‼　1945-1952年」★⑺⑷というものであった。タイトル通りの内容で、まさに戦勝国史観を根底から覆す趣旨であった。日本人はＧＨＱによって、象徴的に言えば小野田寛郎さんを除いて全員洗脳されたが、日本人だけでなく、世界全体の人々も東京裁判などを通じて騙されたのであり、欧米人を含めていまの多くの人々が、真実の近現代史を知らないのですよ、とはっきり最後に告げてきた。この学会に参加している人たちの多くは、いわゆる「ルーズヴェルト嫌い」（"FDR haters"）だったので、この時は、私の報告はむしろ歓迎された。

ジェネーヴでも、テル・アヴィーヴでも、ニューヨークでも、私の話を聞いた人たちは、おそらく「こんな日本人を見たのは初めてだ」と思ったのではないだろうか。国際機関でも、国際学会でも、日本人が戦勝国史観を根底から覆すようなことを真正面から主張したのはおそらく初めてのことだったのではないかと私は理解している。

ただし、こうした戦勝国史観を根底から覆すようなスピーチをする場合、その後、質疑応答などで厳しい論戦になるのは仕方がないとしても、物理的に危害を蒙るようなことがないよう十分に気を付けなければならない。ヨーロッパでは通常、そうしたことは考えにくいと思うが、アメリカではアンティーファ（Antifa）などの左翼の過激集団に攻撃されないとも限らないからである。主催団体、場所などを十分に吟味して、くれぐれも慎重を期した方がよさそうである。

ところで、ルーズヴェルトは極めて卑劣な方法で日本を日米戦争に追い込んでおきながら、なおかつ翌日の1941年12月9日（月）、議会で「恥辱の日」（"Day of Infamy"）演説を行い、日本を口汚く罵りながら、対日宣戦布告を行った。開戦直前の時点で米国民の85％、連邦議会議員の75％が戦争に反対していたので、戦争をしたがっていたルーズヴェルト政権はどんな方法を取ってでも日本に最初の一発を撃たせるところまで持っていく必要があった。しかもその演説では、12日前に「ハル・ノート」を出していたことは意図的に隠していた。日本に対する繰り返しの欺瞞であるとともに、米国民に対する欺瞞でもあった。ハミルトン・フィッシュはそれを決して許せないと言っているのである。

第2章で述べたように、GHQは、ラジオ番組『眞相箱』の冒頭で、「我々日本国民を裏切った人々は、いまや白日の下に晒されております」と言って、戦後、WGIPを始めたわけであるが、むしろそれは、こちらの台詞である。われわれは、「いまや、米国民を裏切った人々は白日の下に晒されております」と言わなければならない。

アメリカ人はいまだに、ことあるごとに「リメンバー・パールハーバー」と言うが、日本人は、それに対して尋常ではない憤りを示さなければならない。卑劣な方法で戦争に追い込んでおきながら、警句として「リメンバー・パールハーバー」と言われることは、そのたびに日本が二度の侮辱を受けことになり著しい不条理と欺瞞である。今後は、「リメンバー・パールハーバー」と言われたら、必ず「リメンバー・ザ・ハル・ノート」（"Remember the Hull Note"）と言い返すようにしよう。

あるいは、ちょっと長くなるがその後に「それは日本に対する最後通牒だった」（which was an ultimatum to Japan）と続ければ、そのほうがなおさら良い。★(75)「ハル・ノート」のことをまだ知らない米国人も少なくないようであるが、とにかく、厳粛に、「リメンバー・パールハーバー」ではなくて、「リメンバー・ザ・ハル・ノート」と言い返すようにしよう。すなわち、英語で表現すれば、Don't say "Remember Pearl Harbor", say "Remember the Hull Note". である。そうすれば、ある程度の知性を持った米国人なら、「ハル・ノート」とは何なのか、自分で調べるであろう。自分で調べさせるのが一番良い。彼らとしても、「パールハーバー」の代わりに、何か言われたら、それは、よほど重要なことに違いないと思うであろう。

また、時間が十分にある状況なら、無論、懇切丁寧に説明したらよい。実は、「ハル・ノート」というよりも、より決定的なのは、１９４１年7月25日の日本の在外資産凍結なのであるが、とも言ってやればよい。

アメリカで、ルーズヴェルト（ＦＤＲ）を批判する文献は、すでにいくつも出版されている。しかし、歴代大統領の人気投票で、ルーズヴェルトは、依然として、ジョージ・ワシントン，エイブラハム・リンカンーンと並んで常にトップ3に入っている。アメリカ人に、ＦＤＲの重大な罪状を知らせなければならないし、また、20世紀最大の愚行を犯した人物を、３選、４選までしてしまったことを、米国民にもしかと反省してもらわなければならない。今後、米国が大きな政策上の間違いを犯さないためには、それが何としてでも必要である。

★（74）Yamashita［2019］

★（75）フル・センテンスとしては、Remember "the Hull Note" which was an ultimatum to Japan. となる。

第６節　日本の国体に関する認識を広めることが重要‥日本人よ、誇りを持て

歴史的にみて日本ほど誇らしい国は他のどこにも存在しない。約２０００年間にわたって連綿と続く世界唯一の国である。現在の西ヨーロッパ諸国、ロシア、アメリカは元を辿れば海賊立国、奴隷貿易立国、奴隷労働立国もしくは植民地からの過酷な搾取をベースに発展した国々ばかりである。ところが日本は、国民の才覚と努力だけでここまで来た。眠っていたら、たまたま天然資源が出てきた国でもなく、はっきり言って、どの国からも後ろ指を指される覚えはない。ところが、戦後民主主義の進歩的文化人たちは、「日本は戦後初めてアメリカから民主主義を教えられた。その時、日本は開闢（かいびゃく）以来、初めてまともな国になった」などと認識しているようである。

すでに第3章第4節で述べたように、これは大きな間違いだ。明治天皇の『五箇条の御誓文』、さらには聖徳太子の『十七条憲法』（西暦６０４年）以来、民主主義的な要素は日本の伝統である。あるいは、さらに神話の時代に遡っても、『天の岩戸伝説』は、国の一大事が起こると全国から神様が集まり、話し合って決めようという内容である。そのような神様は他の宗教にはない。他

の宗教なら、一番偉い神様がすべてを決めるのである。このように日本には民主主義的な土台は昔からあった。

また世界史全体を見渡しても、人権人道上、日本ほど国際社会に貢献した国は他にない。1919年2月のパリ講和会議の一環として開催された国際聯盟規約起草委員会以来、人種差別の撤廃を国際社会に訴えて、世界を主導してきたのは日本である。第二次世界大戦後、世界の100カ国以上が民族自決と国家の独立を果たしたが、それは日本の働きかけが実ったものと言える。そのような輝かしい歴史を持つ日本なのであるから、世界のどの国に対しても劣等意識を持つ必要はいささかもない。われわれ日本人は、人種差別主義に対する闘いにおいて、日本が国際社会に対して果たした多大なる貢献に、非常に大きな誇りを持ってよい。国家の独立、民族自決、人権擁護に関する世界的影響という意味で、このように偉大な結果を残した国が、これまでの人類の歴史上ほかにあったであろうか?

そうした輝かしい歴史を持つ日本自身が、いまだに歴とした独立国でないとしたら、それこそ洒落(しゃれ)にならない。和辻哲郎が『埋もれた日本』(1951年)の中で述べている戦国武将の「人生の準則」としての「自敬の念」(self-respect)を持つことが大切である。

また日本は、一番最近に終了した世界戦争の勝者としての立場で発想し、歴史認識についても、堂々と世界に向けて発言していくべきである。そもそも一番直近に終了した世界戦争は第二次世界大戦ではなく、１９８９年に終了した東西冷戦である。現在は、第二次冷戦という状況に入っているかもしれないので、１９８９年に終了したのは冷戦ではなく、「第一次冷戦」と呼ぶべきかもしれない。第一次冷戦の意味、とりわけ第二次世界大戦と冷戦の関連について、議論し始めるべきである。

第二次世界大戦の性格を明らかにするには、なぜ同大戦終了後、すぐに冷戦が始まったのかを正しく認識することが不可欠である。１９３６年から１９３８年にかけて３回にわたるモスクワ裁判などを通じて、スターリンが百数十万人の自国民を大粛清していたことを承知しながら、共産主義的全体主義の独裁者と手を組んだフランクリン・Ｄ・ルーズヴェルト（ＦＤＲ）大統領の第二次世界大戦前の外交政策が歴史上途方もなく大きな誤りであったことを、国際社会に認識させる必要がある。それと同時に、われわれ自由世界がどのようにして冷戦に勝利したのかを振り返ることも極めて重要である。西側諸国が東西冷戦に勝利できたのは、西ヨーロッパと日本が、アメリカに全面的に協力したからである。

ロシアは東西冷戦における完全なる敗者であったが、中国もほとんど敗者であった。そのほとんど敗者となった中国の敗戦後の復興に、日本は官民ともに極めて大きな役割を果たした。今日の中国経済繁栄の陰の立役者は日本であると言っても過言ではない。

第7節　新しい国の枠組みと国家としての飛躍

近年、日本経済の国際的な地位が低下しているが、その再生のためにも、非独立国から「歴とした独立国」になることが重要である。

明治維新から第二次世界大戦の熱戦が終了するまでが77年間である。他方、第二次世界大戦（熱戦）の終了から2023年の今年までが78年間である。明治維新から1945年までは、実に様々なことがあったが、戦後の期間はすでにそれを越えているのである。このように長い間、非独立国でいたら、国も国民もくたびれてきて、活力がなくなるのは当たり前ではないだろうか。この30年間余り日本が停滞しているのも、それと大いに関連があるものとも思われる。今の日本にとって最も大きな問題の一つである少子化も、それと無関係ではないであろう。

一般に国家というものは、国の枠組みが新しくなった直後に飛躍的に発展するものである。明治維新後の日本がそうであり、あるいは第二次世界大戦後の日独両国がそうだ。イギリスは1707年にスコットランドを併合してイギリス（連合王国）という新生国家が出来上がり、それ以後急速に発展し、ヴィクトーリア女王が１８３７年に即位した頃には、世界一の国になった。アメリカは１８６５年の南北戦争のわずか35年後の１９００年頃、イギリスを抜いて世界一の強国になった。中国は１９７９年に改革開放政策を採用したが、実際にそれが本格的に機能し始めたのは、１９９２年の鄧小平の「南巡講話」以降である。それから数えると今日までわずか30年余りで急速に発展した。そういう意味で、新しく国の枠組みを変えることが重要だと思われる。

日本も非独立国から脱して、歴とした独立国になる、換言すれば国の枠組みのトランスフォーメイションが必要とされる。それが、できれば日本は再び発展軌道に乗ることが出来るであろう。

おわりに

ところで、「どうせ日本はアメリカの属国だ」などと言う人がいるが、日本はアメリカの属国だなどと思うべきでは断じてない。そう認識した瞬間に、多くの人は下を向いてしまう。そうした意識では、アメリカと向き合う時にアメリカを下から上に仰視することになる。そうではなく、むしろ鳥の目で、米国を上から俯瞰するような姿勢で見ることが肝要である。２０２２年春、習近平は、「われわれはアメリカを仰視するのではなく正面から対等に平視する」と言った。しかし、平視でも十分ではなく、むしろ上から見るような発想が大切ではないだろうか。ドローンから見た視点で見れば、下で何が起こっているかよく分かる。すでに述べたように、わが国はアメリカの政策失敗リスクに直面しているので、米国の中で行われていることをよく見極めた上で、政策提言を積極的にインプットしなければならないのである。

本来的には、ある特定の国との２国間同盟は好ましくない。本来は、アジアにも米国を含めた集団的安全保障体制を創るべきであるが、それにはかなり長い年月がかかる。したがって、当面というか、今後もかなり長い間になるかもしれないが、日米同盟を維持するしかない。今のわが国は、防衛体制を大幅に強化しなければならないが、まだ国連憲章の「敵国条項」が残っていることを考えると、日本の防衛力の大幅な増強を理由に攻めてくる国がないとも限らない。したがって、日本の防衛力の大幅な増強については、アメリカの了承がどうしても必要なのである。

２０２３年6月、ロシア議会は、ロシアで「第二次大戦終結の日」と従来されてきた9月３日を、「軍国主義日本」という言葉を加え、「軍国主義日本への勝利と第二次大戦終結の日」に名称変更する動きが出ている。日本の防衛力強化を「軍国主義」復活の動きとロシアが主張していることが背景にある。少々気味の悪い動きである。

日本は一刻も早く独立国家の三種の神器を整えて、すでに始まった新冷戦において、自由民主主義陣営のコアの一角として、アメリカなどと共にQUADを軸に「自由で開かれたインド太平洋」（FOIP）戦略を力強く推進していくべきである。そのためには、アメリカをアジアに搦(から)め取ることが肝要である。そうしなければ、将来的には、アメリカは西太平洋から撤退するという選択肢もありえる。オーストラリアは人口が約2，５００万人で日本の5分1程度である。いくら頑張っても、軍事力は大したことにはならない。インドの人口は２０２３年にすでに中国を抜いたとみられるが、歴史的・伝統的な背景から完全に西側陣営に入るとは考えにくく、兵器もまだ多くがロシア製が中心である。結局、日本が強くなる選択しかないのである。

本書ではこれまで、第二次世界大戦におけるフランクリン・ルーズヴェルトの多重的責任について見て来た。なかでも最大の失敗は、共産主義の全体主義国家のソ連と組んだことであるが、これは初歩的かつ根源的な誤りであり、まさに20世紀最大の愚行である。彼は愚かしくも、レーニンとスターリンの掌で踊らされてしまった。ソ連が第二次大戦の戦勝国となったことの結果は甚大であり、戦前にはソ連とモンゴルのわずか2カ国しかなかった社会主義国は、戦後の最盛期には41カ国にまで増殖した。日米開戦もルーズヴェルトの仕業であり、日本を強引に追い込んでいった。中華人民共和国の誕生もまた、ルーズヴェルトに最大の責任がある。ルーズヴェルトは、日本人は無論のこと、多くのヨーロッパ人や自国民をも騙した。結局、共産主義者を除く世界のほとんどすべての人々を騙した、といってよいのではないだろうか。

わが国は、アメリカに対して悪びれる必要など些かもない。むしろ、第二次世界大戦で、初めから終わりまで根本的な政策上の間違いを続け、社会主義国の急速な増殖に大きな力を貸してしまったアメリカを最大限非難する立場にある。

これまで日本人は第二次世界大戦について、「強大でなおかつ原油の供給を含め、わが国が経済的に圧倒的に依存していた米国となぜ戦争をしたのか?」という類の問い掛けばかりしてきた。しかし、本書で指摘したように、日米戦争は、日本が真珠湾を攻撃したから始まったわけでは断じてなく、米国（ルーズヴェルト）が仕掛けたものである。したがって、「日本はなぜ米国と戦争したのか？」という問い掛けは余り意味がないと、私は考える。

そうではなくて、第二次世界大戦を19世紀初頭から始まった欧米列強による急速な植民地支配の広がりとその影響という大きな潮流の中で捉え、史実を極めて巨視的に分析することが肝要である。そのように捉えるとすると、日本人のみならず国際社会にとっての最も重要な問い掛けは、「ルーズヴェルトは、共産主義の全体主義的独裁者スターリンとなぜ組むことに決めたのか？」、もしくは「ルーズヴェルトは、第二次世界大戦でなぜ戦うべき相手を取り違えたのか？」ということである。

日本として大いに反省しなければならない点は、敗戦革命を目指す共産主義者たちが、「天皇と共産主義は両立する」として軍の一部将校たちを欺（あざむ）いて巻き込んだことが、日本軍の大きな動きにつながったのではないだろうか。これは、大きな反省点である。また、日本にも偉大な政治家がおらず、その時々の勢いに流されてしまった人がほとんどだったように思われる。

いずれにせよ、第二次世界大戦では、アメリカも、イギリスも、フランスも、日本も共産主義者たちに振り回された感がある。第5章第4節で述べたように、今日も共産主義への警戒を怠らないことが極めて重要である。

最後に、わが国が歴とした独立国にならなければならないのは待ったなしであり、独立国家の

「三種の神器」を一日も早く整えることが求められる。それに向けて一人一人が、自分にできることからやることが肝要ではないだろうか。また、繰り返したように、今日わが国がまだ非独立国のままなのは、ＧＨＱの洗脳から解けていない人が圧倒的に多いということがある。そのためには、メディアがＧＨＱの洗脳に協力させられたことを告白・懺悔することが何よりも重要である。メディア各社には、国民に対してすでに膨大に積み上がってしまった負債を早急に返済してもらいたいものである。

最後に、今回、ハート出版の日高裕明社長並びに編集担当の佐々木照美さんには、言葉で表せないほど特別なご配慮とご尽力を賜った。お二人のお陰で本書が日の目を見ることができた。心から感謝申し上げたい。また、「史実を世界に発信する会」代表の茂木弘道さんとは、数年前から各種資料の収集・保存等を共同で行っており、本書の執筆にも役立たせていただいたので、この場を借りて深く感謝申し上げたい。

【参考文献】

・浅見雅男［2014（2011）］、『不思議な宮様―東久邇宮稔彦王の昭和史』、文春文庫、２０１４年６月
・アトリー、フリーダ［1993（1951）］、『アトリーのチャイナ・ストーリー』、日本経済評論社、１９９３年12月
・安倍源基［2006（1977）］、『昭和動乱の真相』、中公文庫、２０１６年12月、オリジナル＝原書房（１９７７年10月）
・安倍晋三［2006］、『美しい国へ』、文春新書、２００６年７月
・有山輝雄［1996］、『占領期メディア史研究―自由と統制・１９４５年』、柏書房、１９９６年９月
・池田潔［1949］、『自由と規律―イギリスの学校生活』、岩波新書、１９４９年11月
・稲垣武［1994］、『〈悪魔祓い〉の戦後史―進歩的文化人の言論と責任』、文藝春秋、１９９４年８月
・井上學［2013］、「１９４５年10月10日〈政治犯釈放〉」、『三田学会雑誌』第１０５巻第４号、慶應義塾経済学会、２０１３年１月
・入江隆則［2007（1989）］、『敗者の戦後』、ちくま学芸文庫、２００７年６月
・ウィロビー、チャールズ（著）、平塚柾緒（編）［1973］、『知られざる日本占領―ウィロビー回顧録』、番町書房、１９７３年８月
・ウェデマイヤー、アルバート［1997（1958）a］、『第二次大戦に勝者なし―ウェデマイヤー回顧録（上）』、妹尾作太男（訳）、講談社学術文庫、１９９７年６月、原著＝Albert Wedemeyer, *Wedemeyer Reports!*, Nov. 1958、邦訳初版＝読売新聞社、１９６７年秋
・ウェデマイヤー、アルバート［1997（1958）b］、『第二次大戦に勝者なし―ウェデマイヤー回顧録（下）』、妹尾作太男（訳）、講談社学術文庫、１９９７年７月、原著＝Albert Wedemeyer, *Wedemeyer Reports!*, Nov. 1958、邦訳初版＝読売新聞社、１９６７年秋
・ヴェーバー、マックス［1980（1919）］、『職業としての政治』、脇圭平（訳）、岩波文庫、１９８０年３月
・上山春平［1972］、『大東亜戦争の遺産』、中央公論社、１９７２年10月
・ウルマン、ハーラン［2019（2017）］、『アメリカはなぜ戦争に負け続けたのか―歴代大統領と失敗の戦争史』、

中央公論新社、２０１９年８月
・臼井吉見［1972］、『蛙のうた―ある編集者の回想』、筑摩叢書、１９７２年２月
・江藤淳［1979］、『忘れたことと忘れさせられたこと』、文藝春秋、１９７９年12月
・江藤淳（責任編集）、波多野澄雄（史料解題）［1981a］、『占領史録　1巻―降伏文書調印経緯』、講談社、１９８１年１月
・江藤淳（責任編集）、波多野澄雄（史料解題）［1981b］、『占領史録　2巻―停戦と外交権停止』、講談社、１９８１年１月
・江藤淳（責任編集）、波多野澄雄（史料解題）［1981c］、『占領史録　3巻―憲法制定過程』、講談社、１９８１年１月
・江藤淳（責任編集）、波多野澄雄（史料解題）［1981d］、『占領史録　4巻―日本本土進駐』、講談社、１９８１年１月
・江藤淳［1994（1989）］、『閉された言語空間―占領軍の検閲と戦後日本』、文春文庫、１９９４年１月
・ＮＨＫ放送文化調査研究所放送情報調査部（編）［1987］、「ＧＨＱ文書による占領期放送史年表」、ＮＨＫ放送文化調査研究所、１９８７年３月
・大石久和［2015］、『国土が日本人の謎を解く』、産経新聞出版、２０１５年７月
・大川周明［2018a（1942）］、『米英東亜侵略史』、土曜社、２０１８年３月、オリジナル＝第一書房（１９４２年１月）
・大川周明［2018b（1927）］、『日本精神研究』、徳間書店、２０１８年９月、オリジナル＝文録社（１９２７年）
・大川周明［2019（1941-1943）］、『大川周明〈世界史〉―〈亜細亜・欧羅巴・日本〉及び〈近世欧羅巴植民史〉（抄）』、毎日ワンズ、２０１９年１月
・大熊信行［1961］、「国家意識と言論の自由」、『中央公論』、中央公論社、１９６１年６月
・大熊信行［2009（1970）］、『日本の虚妄―戦後民主主義批判〈増補版〉』、論創社、２００９年７月、原著＝『日本の虚妄―戦後民主主義批判』、潮出版、１９７０年１月
・岡崎久彦［2002］、『吉田茂とその時代―敗戦とは』、ＰＨＰ研究所、２００２年８月
・岡部伸［2015］、「ＧＨＱと日本共産党の闇」、月刊誌『Voice』第４５２号、ＰＨＰ研究会、２０１５年８月、pp. 68-77

・岡本幸治［2002］、『骨抜きにされた日本人―検閲、自虐、そして迎合の戦後史』、ＰＨＰ研究所、２００２年１月
・桶谷秀昭［2020（1992）］、『昭和精神史』、扶桑社、２０２０年８月、オリジナル＝文藝春秋社（１９９２年）
・小田、ジェームス［1995］、『スパイ野坂参三 追跡―日系アメリカ人の戦後史』、彩流社、１９９５年７月
・オルソン、リン［2021（2013）］、『怒号の日々―リンドバーグとルーズベルトの闘い 大戦前夜 1939-1941』、国書刊行会、２０２１年９月
・甲斐弦［1995］、『ＧＨＱ検閲官』、葦書房、１９９５年８月
・春日由三［1967］、『体験的放送論』、日本放送出版協会、１９６７年１月
・木佐芳男［2018］、『〈反日〉という病―ＧＨＱ・メディアによる日本人洗脳を解く』、幻冬舎、２０１８年５月
・喜多由浩［2020］、『消された唱歌の謎を解く』、産経新聞出版、２０２０年６月
・グルー、ジョセフ［2011（1948）a］、『滞日十年（上）』、ちくま学芸文庫、２０１１年９月、原著＝毎日新聞社（１９４８年11月）
・グルー、ジョセフ［2011（1948）b］、『滞日十年（下）』、ちくま学芸文庫、２０１１年10月、原著＝毎日新聞社（１９４８年11月）
・ケインズ、ジョン・メイナード［1972（1919）］、『講和の経済的帰結』、ぺりかん社、救仁郷繁（訳）、１９７２年
・ケナン、ジョージ［2016（1972）a］、『ジョージ・Ｆ・ケナン回顧録Ｉ』、中公文庫、２０１６年12月、英文原著発行＝George Kenan, *Memoirs, Volume I*, 1925-1950, 1972、邦訳初版発行＝『ジョージ・Ｆ・ケナン回顧録（上）』、読売新聞社、１９７３年12月
・ケナン、ジョージ［2017（1972）b］、『ジョージ・Ｆ・ケナン回顧録Ⅱ』、中公文庫、２０１７年１月、英文原著発行＝George Kenan, *Memoirs, Volume I*, 1925-1950, 1972、邦訳初版発行＝『ジョージ・Ｆ・ケナン回顧録（上）』、読売新聞社、１９７３年12月
・ケナン、ジョージ［2017（1972）c］、『ジョージ・Ｆ・ケナン回顧録Ⅲ』、中公文庫、２０１７年２月、英文原著発行＝George Kenan, *Memoirs, Volume II*, 1950-1963, 1972 邦訳初版発行＝『ジョージ・Ｆ・ケナン回顧録（下）』、読売新聞社、１９７３年12月

・小泉信三［1976（1949）］、『共産主義批判の常識』、講談社学術文庫、１９７６年6月
・公安調査庁（編）［2002］、『ＧＨＱと日本共産党』、公安調査庁、２００２年8月
・近衛文麿［1918］、「英米本位の平和主義を排す」、『日本及日本人』１９１８年12月号、政教社、１９１８年12月25日
・近衛文麿［1945］、「近衛上奏文」および「陛下の御下問と近衛の御答」、１９４５年2月14日、木戸日記研究会・岡義武（編）『木戸幸一関係文書』、東京大学出版会、１９６６年11月、pp. 495-498
・小堀桂一郎（編）［2011（1995）］、『東京裁判 幻の弁護側資料―却下された日本の弁明』、ちくま学芸文庫、２０１１年8月、原著＝『東京裁判 日本の弁明―〈却下未提出弁護側資料〉抜粋』（講談社学術文庫、１９９５年8月）
・小堀桂一郎［2001］、『奪はれた歴史―未来ある国家観の再生に向けて』、ＰＨＰ研究所、２００１年8月
・小堀桂一郎［2017］、『和辻哲郎と昭和の悲劇―伝統精神の破壊に立ちはだかった知の巨人』、ＰＨＰ新書、２０１７年10月、旧作＝『戦後思潮の超克』（日本教文社、１９８３年）
・小堀桂一郎［2018］、『靖國の精神史―日本人の国家意識と守護神思想』、ＰＨＰ新書、２０１８年10月
・ゴーラー、ジェフリー［2011（1942）］、『日本人の性格構造とプロパガンダ』、ミネルヴァ書房、２０１１年4月、原著＝Geoffrey Gorer, *Japanese Character Structure and Propaganda*, March 1942
・斉藤勝久［2020-2021］、「占領期最大の恐怖〈公職追放〉全14回」、『nippon.com』公益財団法人ニッポン・ドットコム、２０２０年11月11日～２０２１年6月15日
・坂本太郎［2020（1958）］、『日本の修史と史学―歴史書の歴史』、講談社学術文庫、２０２０年8月、オリジナル＝至文堂（１９５８年）
・ザカリアス、エリス［1951］、『密使』、改造社、１９５１年1月
・櫻井よしこ［2002］、『ＧＨＱ作成の情報操作書〈眞相箱〉の呪縛を解く―戦後日本人の歴史観はこうして歪められた』、小学館文庫、２００２年8月
・佐瀬隆夫［2019］、『１９４２年アメリカの心理戦と象徴天皇―ラインバーガーとジョゼフ・グルー』、

教育評論社、２０１９年12月
・佐藤和男（監修）[2005]、『世界がさばく東京裁判―85人の外国人識者が語る連合国批判』、明成社、２００５年８月
・佐藤優［2011(2006)］、『日米開戦の真実―大川周明〈米英東亜侵略史〉を読み解く』、小学館文庫、２０１１年２月
・佐藤優［2015(2009)］、『日本国家の神髄―禁書〈国体の本義〉を読み解く』、扶桑社新書、２０１５年１月
・シヴェルブッシュ、ヴォルフガング［2015(2006)］、『三つの新体制―ファシズム、ナチズム、ニューディール』、
名古屋大学出版会、２０１５年４月
・思想の科学研究会（編）[1978 a]、『共同研究／日本占領軍―その光と影（上）』、現代史出版会、１９７８年８月
・思想の科学研究会（編）[1978 b]、『共同研究／日本占領軍―その光と影（下）』、現代史出版会、１９７８年９月
・思想の科学研究会（編）[1978 c]、『日本占領研究事典―共同研究／〈日本占領軍〉別冊』、
現代史出版会、１９７８年８月
・繁沢敦子[2010]、『原爆と検閲―アメリカ人記者たちが見た広島・長崎』、中公新書、２０１０年６月
・柴田賢一［2012(1942)］、『米英のアジア・太平洋侵略史年表 1521-1939』、国書刊行会、２０１２年５月、
原著＝『米英の東亜侵略年譜』、都書房、１９４２年10月、ＧＨＱ没収図書
・シーボルト、ウィリアム［1966(1965)］、『日本占領外交の回想』、朝日新聞社、１９６６年３月、
原著＝William J. Sebolt, *With MacArthur in Japan*,1965
・清水幾太郎［2013(1950)］、『愛国心』、ちくま学芸文庫、２０１３年１月
・清水幾太郎[1980]、『日本よ 国家たれ―核の選択』、文藝春秋、１９８０年９月
・シャーウッド、ロバート［2015(1957)］、『ルーズヴェルトとホプキンズ』、未知谷、２０１５年６月
・杉浦重剛（著）、所功（解説）［2017(2002)］、『〈補訂版〉昭和天皇の学ばれた〈教育勅語〉』、
勉誠出版、２００６年３月、
原本＝猪狩又蔵（編）『倫理御進講草案』、大日社、１９３６年、
オリジナル＝東宮御学問所御用掛の杉浦重剛が、１９１４年（大正３年）10月～１９１５年（大正４年）３月、
裕仁親王殿下の満13歳の時に、11回にわたり行なわれた『教育勅語』の御進講草案

・鈴木昭典［2014（1995）］、『日本国憲法を生んだ密室の九日間』、角川ソフィア文庫、２０１４年７月、原著発行＝創元社（１９９５年５月）
・鈴木健二［2015（1995）］、『戦争と新聞―メディアはなぜ戦争を煽るのか』、ちくま文庫、２０１５年８月
・鈴木孝夫［2014］、『日本の感性が世界を変える―言語生態学的文明論』、新潮選書、２０１４年９月
・スティネット、ロバート［2001（2000）］、『真珠湾の真実―ルーズベルト欺瞞の日々』、文藝春秋、２００１年６月
・ストークス、ヘンリー・S［2013］、『英国人記者が見た連合国戦勝史観の虚妄』、祥伝社新書、２０１３年12月
・「占領史研究會」澤 龍［2005］、『〈増補改訂〉ＧＨＱに没収された本〈総目録〉』、サワズ&出版／さわや、２００５年９月
・ソーン、クリストファー［1989（1985）］、『太平洋戦争とは何だったのか―1941-45年の国家、社会、そして極東戦争』、草思社、１９８９年
・高桑幸吉［1984］、『マッカーサーの新聞検閲―掲載禁止・削除になった新聞記事』、読売新聞社、１９８４年９月
・高橋史朗［2014］、『日本が二度と立ち上がれないようにアメリカが占領期に行ったこと』、致知出版社、２０１４年１月
・高橋伸夫［2021］、『中国共産党の歴史』、慶應義塾大学出版会、２０２１年７月
・竹内 洋［2011］、『革新幻想の戦後史』、中央公論新社、２０１１年10月
・竹前栄治［2002］、『ＧＨＱの人びと―経歴と政策』、明石書店、２００２年６月
・竹山昭子［1990］、「占領下の放送―〈眞相はかうだ〉」、『続・昭和文化 1945-1989』、南博（編）、勁草書房、pp. 105-144、１９９０年10月
・竹山道雄［2011（1955）］、『昭和の精神史』、中公クラシックス、２０１１年１月
・谷川健司、須藤遥子（編訳者）［2019］、『対米従属の起源―〈１９５９年米機密文書〉を読む』、大月書店、２０１９年５月、『マーク・メイ報告書』（１９５９年）の全訳
・谷沢永一［1996］、『悪魔の思想―〈進歩的文化人〉という名の国賊12人』、クレスト社、１９９６年２月
・ダール、ロバート・Ａ［2003（2001）］、『アメリカ憲法は民主的か』、岩波書店、２００３年９月